Annie M.G. Schmidt
Allemaal sprookjes

Met tekeningen van *Carll Cneut, Gerda Dendooven, Harrie Geelen, Annemarie van Haeringen, Philip Hopman, Jan Jutte, Martijn van der Linden, Mance Post, Sieb Posthuma, Wouter Tulp, Jaap de Vries, Marenne Welten en Fiep Westendorp*

Amsterdam Antwerpen Em. Querido's Uitgeverij BV 2008

www.annie-mg.com
www.queridokind.nl

Omslagillustratie Fiep Westendorp
Omslagontwerp Pauline Hoogweg
Vormgeving binnenwerk Monique Gelissen

ISBN 978 90 451 0611 3 / NUR 277

Inhoud

Allemaal sprookjes

De koning op de kermis

MET TEKENINGEN VAN JAAP DE VRIES

Er was eens een koning die het thuis erg saai had. Dat gebeurt wel eens meer met koningen. Van een eindje lijkt alles erg mooi: een groot paleis en veel lakeien en lekker eten en drinken, maar als je dan aan zo'n koning vraagt: 'Is het nou allemaal echt wel zo leuk, sire,' dan zegt hij vaak in vertrouwen: 'Nee!'

Nu, deze koning dan stond op een keer voor het raam van zijn regeerzaal, knauwde nadenkend op zijn scepter en zei: 'Bah, regeren!' Gelukkig dat niemand het hoorde, want dat is wel een heel erg woord voor een koning.

Buiten voor het raam was het kermis. Er was een zweefmolen, die vrolijk draaide, er waren honderden kraampjes, schiettentjes, stalletjes met zuurstokken, tentjes met dikke dames en krokodillen erin en het dreunde en denderde daar van een hoemtata en van een tiereliere, waar iedereen door werd aangestoken.

Hè, dacht de koning, wat zou ik graag eens poffertjes eten, wat zou ik graag eens een keertje in de draaimolen zitten, jammer dat het niet mag. En het mocht ook heus niet, want ten eerste past het niet voor een koning om zomaar ordinair op een kermis rond te tollen en de mensen zouden misschien hun achting voor hem verliezen en bovendien vond de koningin alles wat kermis was uit den boze. Zij hield alleen van statig boven aan een trap staan enzo, en vrolijkheid vond zij niet netjes.

Als ik het nu eens stiekem deed, dacht de koning en juist zag hij een schoorsteenveger voorbijkomen in zijn zwarte pakje met een bezem in de hand. De koning riep: 'Schoorsteenveger!'

'Jawel, majesteit,' zei de schoorsteenveger.

'Och, zou je me niet eens voor een dag je pakje willen lenen! Vanavond krijg je het weer terug.'

'Wat moet ik dan aan hebben,' vroeg de schoorsteenveger. 'Jij mag zolang in deze zaal zitten met mijn koningsmantel en met mijn kroon,' zei de koning. 'Je doet de deur maar op slot en als er een minister komt rammelen roep je maar: "Bezig!" Je krijgt tien gouden dukaten, als je het doen wilt.'

'Best,' zei de schoorsteenveger, en zo kwam het dat de koning zijn raam uit stapte in een zwart vies pakje met een pet op en een bezem in zijn hand.

De schoorsteenveger bleef alleen achter. Hij trok direct de prachtige rood fluwelen mantel van de koning aan en zette de gouden kroon op. Toen keek hij in de spiegel. 'Tjonge, wat mooi,' zei hij bij zichzelf, 'wat mooi, och, och, jammer dat ik het niet even aan mijn vrouw en kinderen kan laten zien. Weet je wat, ik ga heel eventjes naar huis, heel even maar en dan gauw weer terug.' Hij glipte het raam uit, deed het bij vergissing dicht en ging naar zijn huis in de Boendersteeg. Onderweg kwam er een hele oploop van mensen achter hem aan, die allemaal eerbiedig fluisterden. 'Kijk, de koning, hij gaat zeker een arm gezin bezoeken, kijk daar gaat hij het huis in van een schoorsteenveger, die brave koning.' Je begrijpt hoe de vrouw en de kinderen van de schoorsteenveger opkeken, toen hij daar zo geweldig prachtig kwam aanwandelen. Zij konden niet genoeg naar hem kijken en hij ging voor zijn raam staan en wuifde de menigte toe. Ondertussen was de koning heerlijk de kermis op gegaan. Hij klom meteen in de draaimolen en in de zweefmolen, hij kocht een pepermuntstok en klapkauwgom. Hij gleed van de roetsjbaan en werd zo vrolijk, dat hij met een hele troep kermisgasten meehoste en het liedje zong van Hop maar Janneke.

Maar juist toen hij arm in arm met twee vrolijke meisjes door een steeg danste, kwam daar gravin van Stekelenbaarzenburg voorbij, een verschrikkelijk deftige dame, die vaak aan het hof kwam en altijd met de koningin samen sjoelbak speelde. Zij herkende de koning direct, keek hem in het gezicht en zei: 'Maar Hilarius, hoe heb ik het nu?'

De koning schrok hevig, werd doodsbleek, liet de meisjes los en verdween in de menigte. Hij ging op een drafje naar het paleis om door het raam weer stiekem naar binnen te klimmen, maar o, o, wat verschrikkelijk, het raam was gesloten. Die arme koning wist niet wat hij doen moest. Ten einde raad ging hij maar naar de voordeur van het paleis waar hellebaardiers stonden met heel strenge gezichten.

'Ik wil naar binnen,' zei de koning en begon te huilen. 'Ik ben de

koning.' De hellebaardiers begonnen vreselijk te lachen en zeiden: 'Jij vuile schoorsteenveger, scheer je weg.' En die arme koning droop af en liep treurig tussen alle vrolijke kermisklanten. Hij wist niet waar hij heen zou gaan en liep maar doelloos door de stad en eindelijk kwam hij in een straatje dat opgepakt stond van de mensen. 'De koning is daar binnen,' zei iedereen. 'Daar staat hij voor het raam van een arme schoorsteenveger, die brave, goeie, lieve koning.'

De koning keek naar boven en daar stond me die schoorsteenveger voor het raam te wuiven met koningsmantel en kroon.

De echte koning wachtte geen ogenblik. Hij ging kordaat naar binnen, kwam boven en zei: 'Geef op mijn mantel, jij nietswaardige schoorsteenpeuteraar!'

Jemig, wat schrok die man. 'O, sire,' zei hij nederig, 'neem me niet kwalijk, de verleiding was te groot.' Met ogen als schoteltjes stonden de kinderen te kijken hoe hun vader en de koning van kleren wisselden en de vrouw van de schoorsteenveger schonk gauw een kopje koffie om het weer goed te maken.

En toen was het ook goed. De koning bleef nog een poosje keuvelen en ging toen gauw naar huis, zijn koningsmantel fier om zich heen. De hellebaardiers gaf hij ieder een klap op hun helm, dat hadden ze ook verdiend, en hij ging de trappen van het paleis op en was zo blij dat hij zich niets aantrok van de boze koningin, die juist met de gravin van Stekelenbaarzenburg over hem zat te praten.

'Ik moest eens een uitje hebben,' zei de koning, 'en nu praten we er niet meer over.' Dat was ferm gesproken, en wat kun je daar op zeggen?

Met een zucht van verlichting kwam de koning in zijn regeerzaal, nam zijn scepter en begon met nieuwe moed te regeren.

''t Was een leuk dagje,' zei hij bij zichzelf, 'maar ik doe het toch nooit weer.'

En dat was het verhaal van de koning, die de kermis op ging.

Waarom de honden zo schrokken

MET TEKENINGEN VAN ANNEMARIE VAN HAERINGEN

Omdat ze al heel klein bij elkaar waren gekomen, konden ze eigenlijk best opschieten: Jeroen en Pratertje.

Jeroen was de hond, met zijn lange zijden oren en zijn ruige poten, Pratertje was de cyperse poes, die altijd kleine mauwtjes gaf en daarom Pratertje genoemd werd. Ja, ze konden elkaar eigenlijk best verdragen, ze hadden ieder een eigen etensbak en ieder een eigen mandje om in te slapen en soms sliepen ze zelfs wel eens tegen elkaar aan, voor de kachel. Alleen een heel enkele keer hadden ze ruzie en dan ging het ook echt van grauw en snauw hoor! Pratertje blies en krabde en Jeroen bromde en beet en wie weet wat er niet allemaal gebeuren zou, als niet de oude papegaai Lorresnor ze allebei tot de orde had geroepen: 'Wees jullie toch kalm,' krijste Lorresnor dan, 'wees toch verstandig, die ruzie is nergens voor nodig!'

En dan schaamden Jeroen en Pratertje zich erg en lieten elkaar gauw los.

En nu was er weer ruzie, terwijl Jeroen aan het eten was in de keuken. Pratertje zat in de vensterbank en keek toe.

'Bah,' zei ze, 'wat schrok jij, wat ben jij een slokop. Je kauwt niet eens behoorlijk, grote stukken hondenbrood slik je zomaar door. Moet je zien, als ik eet, hoe keurig netjes ik dat doe. Melk lebber ik voorzichtig op mijn tongetje en kattenbrood en vis eet ik heel geruisloos en niet zo slokslok, snaksnak als jij, gulzigaard, lawaaimaker, smakker!'

Nu, dat liet Jeroen de hond niet op zich zitten. Eerst at hij nog haastig de laatste restjes uit zijn etensbak en stoof toen op: 'Hau, hau, hau,' baste hij en vloog met zijn lompe poten op de poes Pratertje af, die bliksemsnel boven op de keukenkast sprong en siste.

'Alweer ruzie?' riep Lorresnor de papegaai, die op zijn houten schommeltje heen en weer wiegde. 'Luister nu toch eens naar mij, dan zal ik je vertellen hoe het komt dat Jeroen zo schrokt en dat Pratertje zo voorzichtig met kleine hapjes eet!'

Direct waren de poes en de hond stil en luisterden, want ze waren dol op verhalen.

'Heel, heel, heel lang geleden,' zei Lorresnor, 'waren alle honden nog wild. Er was geen baas die hun eten gaf, dus moesten ze het zelf zoeken in de wijde velden. En hoe deden ze dat? Gingen ze er 's nachts stiekem alleen op uit? Nee hoor, ze gingen overdag in grote troepen. Als ze wild roken, gingen ze er allemaal tegelijk achteraan, blaffend en gillend, en als ze het wild te pakken hadden, nu dan was dat hun maaltijd. Maar ze waren met zoveel, ze moesten delen en dat ging niet altijd zo eerlijk en vriendschappelijk, dat begrijp je. 't Waren ook maar WILDE honden hoor,' voegde Lorresnor er vergoelijkend aan toe, 'een beschaafde hond, zoals jij Jeroen, zou niet zo tekeergegaan zijn. Maar in elk geval, die wilde honden rukten ieder een zo groot mogelijk stuk van het wild af en moesten dat zo snel mogelijk opeten, anders kwam er een ander, die het van hen afnam. Nou en die gewoonte van gauw-gauw schrok-schrok, die hebben jullie honden altijd gehouden.

En wat jou betreft, Pratertje, jouw voorouders waren allemaal wilde katten. Ze hadden ook geen baas die hun schoteltjes melk gaf en kattenbrood, ze moesten het ook zelf zoeken. Maar zij deden het anders. Zo'n wilde poes ging 's nachts in het donker en helemaal alleen op jacht. Als zij een prooi ving, sleepte ze die prooi mee naar een nog donkerder hoekje, daar waren geen andere katten die het afnamen, zij had dus de tijd en kon op haar gemak eten. Ze deed het dan ook heel netjes en geruisloos en zonder haast. Zo komt het, Pratertje, dat jij nog altijd je vis en je kattenbrood zo keurig opeet. Maar je mag Jeroen niet kwalijk nemen dat hij het anders doet. Dat is zijn aard.'

'Dat was een mooi verhaal,' zei Pratertje, 'dank je wel, Lorresnor!' 'Dank je wel, Lorresnor,' zei ook Jeroen. En toen gingen poes en hond gezellig op de grond liggen en speelden met elkaars staart. En ik geloof dat ze tot nu toe helemaal geen ruzie meer gehad hebben, maar ik kan me natuurlijk vergissen.

Reus Borremans

MET TEKENINGEN VAN HARRIE GEELEN

Vlak bij het stadje Tidderadeel, aan de voet van een berg, woonde een reus. Hij was dertig meter lang, dat is groot, zelfs voor een reus en hij zag er angstaanjagend uit. Maar dat leek erger dan het was, want deze reus, Borremans heette hij, was braaf en vriendelijk en deed nooit iemand kwaad.

Eenmaal per week bracht hij een bezoek aan het stadje Tidderadeel. Van tevoren blies hij dan op een fluitje, dat wil zeggen, voor hem was het een fluitje maar voor alle mensen klonk het als het geluid van duizend stoomketels. Al het verkeer stond dan stil op straat, iedereen riep: 'O, grutjes, daar komt Borremans, laten we gauw wegwezen,' alle auto's schoten zijstraatjes in en alle melkkarretjes werden aan de kant van de weg gezet, want Borremans had zulke grote voeten dat je vreeslijk moest oppassen er niet onder te komen.

Op zekere dag trouwde de zoon van de burgemeester met de dochter van de notaris. Er was groot feest in Tidderadeel en wekenlang hadden de mensen erover gepraat of het ook nodig was om Borremans bij het feest uit te nodigen. 'Zouden we dat wel doen,' zei de burgemeester, 'we kunnen hem niet een glaasje wijn aanbieden, het zou wel meer dan een heel vat moeten zijn en met één hap eet hij een hele koe op. Zo'n gast bij ons feest kost schatten!'

'Kom nou, burgemeester,' zeiden de wethouders, 'laten we nou die Borremans een stuk of wat gebraden koeien voorzetten en een paar vaten wijn, dan kan hij op het platte dak van het stadhuis gaan zitten met zijn voeten op de markt.'

En zo gebeurde het ook. Borremans zat daar op het stadhuis; op de markt stonden tien gebraden koeien voor hem klaar en tien vaten wijn en tussen zijn voeten schreed het bruidspaar het stadhuis binnen. Daar werden ze getrouwd en onder gejuich van de menigte kwamen ze de stadhuisdeuren weer uit.

'Tjonges, wat regent het hard,' zei de bruidegom.

'Welnee,' zei de bruid, 'kijk eens, de zon schijnt.'

Maar inderdaad, de hoge hoed van de bruidegom was kletsnat en het water stroomde over zijn jas. Maar een paar bruidsmeisjes, die ook doornat werden, keken naar boven en zeiden: 'Borremans huilt!'

En warempel, die grote zware reus Borremans zat daar boven op het stadhuis te huilen, te huilen, het water stroomde met regenbakken tegelijk naar beneden. De burgemeester schreeuwde door een luidspreker naar boven: 'Wat scheelt eraan, meneer Borremans?'

'Ik wil ook trouwen,' schreeuwde Borremans naar beneden en zijn stem klonk als het gedonder van het onweer, alleen veel verdrietiger, ja bijna zielig.

Dat was me wat! De reus Borremans wilde ook trouwen, nu hij gezien had hoe leuk zo'n bruiloft was. Maar waar zou er een vrouw voor hem te vinden zijn? Borremans riep nu weer naar beneden: 'Weten jullie niet een aardig vrouwtje voor mij?' Heel Tidderadeel stond verschrikt stil en keek naar boven. Natuurlijk, ze begrepen het best dat Borremans ook wel eens bruiloft wilde vieren maar nee, in heel de stad was er geen reuzin. 't Waren daar allemaal gewone meisjes en de allerlangste was een meter tachtig, en dat was nog veel te klein voor zo'n enorme reus. Gelukkig kreeg er iemand een idee en schreeuwde naar boven: 'Meneer Borremans, zet u eens een advertentie in de Tidderadeelse Courant!' Dat was een goede inval. Het grote gezicht van de grote Borremans klaarde helemaal op. Dat zou hij doen! De tranenvloed hield op, hij vierde vrolijk feest tussen de Tidderadelenaren en at in een paar

happen zijn tien koeien op en dronk zo eventjes van slok slok zijn wijn. En de volgende avond verscheen in de Tidderadeelse Courant de volgende advertentie:

Beschaafde reus, 30 meter, zoekt kennismaking met dito reuzin, flink postuur. Brieven met foto's enz.

Een paar dagen later werden er aan het bureau van de Tidderadeelse Courant een paar enorme brieven afgeleverd, zo groot, dat de postbode er geen raad mee wist en elke brief op een aparte vrachtauto werd afgeleverd. Alles bij elkaar kwamen er vier van die reuzenbrieven en in een paar auto's werd deze correspondentie aan het huis van de reus afgeleverd.

De reus Borremans maakte direct de brieven open en bekeek eerst de portretjes van de reuzinnen.

Er was er eentje uit China. Borremans legde de brief opzij, want dat was zelfs hem te ver. De volgende brief kwam uit Lapland, van een Lapse reuzin, die een berenmuts ophad, waar zeker wel vijftig beren voor waren gevild. Ook deze brief werd terzijde gelegd. Dan was er nog een uit Afrika, ook al zo'n eind weg; teleurgesteld legde Borremans ook die weg.

Maar de laatste, och, wat was dat een lief reuzinnetje! Ze was zevenentwintig meter lang, schreef ze en ze woonde in Binkeradeel, dat was maar vijfhonderd kilometer van Tidderadeel af.

Borremans werd direct verliefd op de aardige krulletjes van dit reuzenmeisje. Hij ging meteen op weg naar Binkeradeel met stappen van honderd meter en dezelfde avond nog kwam hij verloofd terug met de reuzin Klarina aan zijn arm.

Heel Tidderadeel had de vlaggen uitgestoken en juichte het jonge paar toe. En de volgende dag werd een grote bruiloft gevierd aan de voet van de berg. De bruid zorgde voor een feestmaaltijd. Zij had een taart gebakken, een ronde taart, waar wel vijftig mensen omheen konden zitten en waar zij zomaar stukjes van mochten afhappen. Er stond een glas uit de kast van Borremans, vol met wijn, maar het glas was zo groot, dat alle Tidderadelenaren er bekers mee konden vullen. Dan waren er stukken gebraden vlees, zo groot als kippenhokken en een stuk noga, zo groot als een auto, iedereen probeerde ervan te bijten, maar er bleven zoveel gebitten in vastzitten dat dit stuk noga verder verboden werd.

Het werd een groot feest. De bruid zag er snoezig uit met een witte sluier en witte schoenen zo groot als zeilschepen. En de bruidegom had een hoed op zo groot als een fabrieksschoorsteen.

Er werd tot laat in de nacht gedanst en gezongen en gedronken en het bruidspaar was erg, erg gelukkig.

En dat bleven ze ook vele jaren lang. Toen er kinderen kwamen, waren dat reuzenkinderen, die veel kattenkwaad uithaalden. En misschien komt er nog wel eens een verhaaltje over die reuzenkinderen, want dat was me een stel!

Dries en de Weerwolf

MET TEKENINGEN VAN GERDA DENDOOVEN

In het midden van het hartje van het binnenste van het Muiskleurig Gebergte woonde de Weerwolf.

Hij was groot en verschrikkelijk. Zijn ogen sproeiden vuur en zijn tong had karteltjes. Lange witte scherpe tanden had hij en iedere avond om zes uur stiet hij een gebrul uit, waarvan het hele Muiskleurige Gebergte sidderde.

'Moeder, dat is de Weerwolf weer,' zeiden de kinderen van het dorp. Dan werden de luiken en de deuren met grendels afgesloten en iedereen kroop onder de dekens van angst en dan kwam de Weerwolf in het dorp. Dreunend kwam hij de berg af gedraafd, aldoor maar huilend en briesend en hij stormde de dorpsstraat in. Hij bonsde met zijn poten tegen de ramen en deuren, o, het was verschrikkelijk griezelig. En als hij eindelijk weer weg was, had hij wel twaalf geiten en dertig konijnen opgevreten. Maar wat kon je ertegen doen? Niemand wist het en alle mensen waren even bang en ongelukkig.

Maar toen de boze Weerwolf op een avond de oude overgroot-moeder van de gemeentesecretaris opvrat met huid en haar, toen werd het dorp zo vreselijk verontwaardigd! Nu moest er een eind aan komen. Er werd een vergadering gehouden, waar iedereen bij was en er werd besloten om met een grote groep sterke mannen naar het midden van het hartje van het binnenste van het Muiskleurige Gebergte te gaan en de Weerwolf in zijn hol aan te vallen.

Janus, de smid, ging voorop met een heel zware hamer en achter hem kwamen jonge stoere mannen met zeisen en bijlen en houwelen en spiesen en sabels en messen en broodzagen. En helemaal achteraan kwam de gemeentesecretaris, want hij was een behoed-zaam man.

Ze gingen 's morgens vroeg, omdat de Weerwolf dan nog sliep en ze klauterden tot dicht bij zijn hol. Maar hij wérd wel wakker, die engerd! Er kwam eerst een allerakeligst gebrul uit het hol, toen een hele regen vonken, toen kwam de Weerwolf zelf. Hij stond een poosje stil op zijn eigen drempel en keek met een gruwzame blik naar buiten. En toen de mannen uit het dorp hem daar zo zagen staan, dat afschuwelijke beest met zijn moordmuil, toen werden ze toch zo danig bang! Of ze het hadden afgesproken, draaiden ze ineens allemaal om, met hun spiesen en houwelen en renden hol-derdebolder de berg af. Daar kwamen ze aan in het dorp, buiten adem en erg geschrokken. 'Nooit weer naar de Weerwolf,' zeiden ze hijgend tegen de vrouwen en kinderen, die stonden te wachten. Het is een duivels dier. Alleen de gemeentesecretaris zei dat hij wel op zijn eentje verder had gedurfd, maar dat was niet zo.

Nu was er een klein jongetje bij al die wachtende vrouwen en kin-deren, en hij heette Dries. En hij dacht bij zichzelf: moet die lelijke Weerwolf nu weer onze geiten en overgrootmoeders gaan opeten? Weet je wat, ik ga stiekem alleen eropaf. En toen niemand keek, sloop hij weg en klom de berg op naar het hol van de Weerwolf. Om een beetje meer moed te krijgen, stak hij een stukje klapkauwgom in zijn mond en begon te kauwen. Nu was hij een kunstenaar in het kauwen van klapkauwgom. Hij kon hele lange draden trekken, hij kon een heel gordijn van kauwgom maken en daar mooie bobbels in blazen, en toen hij bij het hol van de Weerwolf kwam, had hij een reuzegroot vlak van kauwgom tussen zijn tanden. De Weerwolf sliep weer. En omdat Dries zo erg zachtjes dichterbij kwam, hoorde hij niets. Zonder blikken of blozen ging Dries het hol in. Hu, daar lag hij, de griezel!

Zijn bek was halfopen en zijn lange witte tanden staken venijnig naar voren. Dries bedacht zich geen ogenblik, nam zijn gordijn van kauwgom en plakte die lelijke muil ermee dicht. Toen kauwde hij nog gauw een paar slierten erbij, wond ze om zijn muil en ziezo, dat was dat!

De kleine Dries sloop het hol uit, ging achter een bosje zitten en wachtte tot de Weerwolf wakker werd. Dat gebeurde na een half-uur. De Weerwolf wilde brullen, maar zijn tong raakte verward in de kauwgom, zijn tanden plakten aan elkaar, de kauwgom kwam in zijn neus en in zijn ogen, hij grolde en bromde en probeerde met zijn poten het spul kwijt te raken, maar het lukte hem niet, hij kwam aldoor vaster in de gom te zitten, tot er eindelijk een stuk in zijn keel schoot en de Weerwolf stikte.

Dries, de kleine jongen, danste vol vreugde om het verslagen beest heen en holde naar beneden om te vertellen wat er gebeurd was. Dat was een blijdschap in het dorp. Iedereen ging kijken en er werd een groot feest gehouden, waarbij Dries met een bloemen-krans om zijn hoofd werd rondgedragen.

Het deegmannetje

MET TEKENINGEN VAN PHILIP HOPMAN

Dat weet je toch, hè, dat in iedere bakkerij een deegmannetje zit? 't Is een héél klein kaboutermannetje met een wit jasje en een wit mutsje en puntoortjes en hij ziet zo bleek als een kadet.

't Is een braaf mannetje, hoor, niet in het minst boosaardig! Hij houdt de kakkerlakken weg; hij verjaagt muizen en hij eet alle restjes deeg op, zodat iedere bakker zijn deegmannetje in ere houdt. Behalve bakker Trip. Je moet weten, dat bakker Trip een zure, knorrige, miezige, kniezige man is. En toen bakker Trip op een morgen vroeg in de bakkerij kwam en het mannetje bezig zag de laatste restjes deeg op te eten, begon hij te zieden van woede.

Hij pakte het deegmannetje bij zijn bleke lurven, schudde het heen en weer en zei: 'Jij kleine niksnut. Jij lanterfanter, jij bleke schrok. Jij deeghapper, jij... jij...' bakker Trip zocht naar scheldwoorden; hij stikte haast van boosheid. 'Jij stekelvarken,' zei hij, 'scheer je weg.' En hij gooide het arme deegmannetje in een hoek waar het dodelijk verschrikt wegkroop achter een meelzak.

Toen draaide bakker Trip zich om en ging boos aan het broodbakken. Maar o, o, wat had hij gedaan! Wat had hij gedaan! Niet ongestraft beledigt een bakker zijn deegmannetje, dat zul je nu horen.

Het liep tegen Pasen en 't was de gewoonte dat de mensen in de buurt hun paasbrood bij Trip lieten bakken. Zij brachten een zakje meel en rozijnen en sukade en snippers en bakker Trip maakte voor iedereen een heerlijk knappend rozijnen-paasbrood. Ook nu weer kwam de kapper met een zak bloem en juffrouw Fiedelman bracht haar meel en de drogist en nog wel twintig anderen.

Dat werd een drukke tijd voor bakker

Trip: op de zaterdag voor Pasen moest het allemaal klaar zijn. Vrijdagnacht ging hij dus aan het werk, deed al het meel bijeen in een trog, met de rozijnen, sukade en snippers en kneedde het. Met een boos gezicht, want hij was nu eenmaal een zure, knorrige, miezige, kniezige man. Toen het allemaal één vast, blank, taai deeg was geworden, nam hij twee handen vol van dat deeg, vormde er een mooi rond brood van en legde het op de geschuurde houten tafel. En wat er toen gebeurde! Nauwelijks had het deeg de tafel aangeraakt, of het veranderde in een stekelvarken. Een echt levend stekelvarken.

'Ik mag een staart krijgen, als ik er iets van snap,' zei bakker Trip. Maar hij was niet alleen zuur, knorrig, miezig en kniezig, hij was ook koppig en hij bleef ronde broden maken van het deeg, klets, klets gooide hij ze op de tafel en ieder brood werd een stekelvarken net zolang tot de trog leeg was.

De stekelvarkens verdwenen in hoeken en gaten of scharrelden rond bij de oven: twee waren er aan 't vechten, ze krioelden en piepten, het waren er precies drieëntwintig.

Wat moest bakker Trip doen? Hij sloop de bakkerij uit, deed de deur dicht en ging achter het huis bij de regenton zitten en daar bleef hij de hele nacht tot het licht werd en tot zijn vrouw zenuwachtig kwam aanlopen.

'De klanten zijn er,' zei ze. 'De kapper is er en juffrouw Fiedelman en de drogist en nog wel twintig anderen. Zijn de paasbroden klaar? Waarom zit je eigenlijk bij de regenton?'

De bakker keek haar aan met treurige ogen. 'De paasbroden zijn in stekelvarkens veranderd,' zei hij dof. Toen begon hij te huilen.

Nu was mevrouw Trip gelukkig een lieve, wijze, dikke vrouw. 'Vertel het me maar,' zei ze. 'Wat is er gebeurd? Heeft het iets met het deegmannetje te maken?'

'Het deegmannetje,' snikte bakker Trip. 'Ja, dat is het. Ik heb hem uitgescholden voor... voor...'

Binnen in de winkel werden de klanten ongeduldig. 'Wij willen ons paasbrood!!' riepen ze.

'Blijf jij maar even hier bij de regenton,' zei mevrouw Trip. 'Ik zal het wel in orde maken.' Ze vroeg vriendelijk aan de mensen of ze na een uur wilden terugkomen, toen ging ze de bakkerij in, duikelde over een paar stekelvarkens en deed haastig de deur dicht, want ze wilden ontsnappen, die beesten.

Toen riep ze, vlak bij de schoorsteen: 'Deegmannetje!!'

Geen antwoord.

'Deegmannetje,' riep mevrouw Trip weer, 'hij heeft er zo'n spijt van, mijn man. Hij is niet zo kwaad, hoor! Hij is alleen maar een beetje zuur, knorrig, miezig en kniezig, vergeef het hem maar, deegmannetje!'

Om de hoek van de schoorsteen verscheen een klein gezichtje, zo bleek als een kadet. En het deegmannetje riep: 'Alles wat hier stekels kreeg, moet veranderen in deeg.'

En op slag werden alle stekelvarkens weer paasbollen. Mevrouw Trip legde ze in de oven en telde ze, het waren er tweeëntwintig, want één stekelvarken was weggelopen, zodat ze haar eigen paasbrood aan de drieëntwintigste klant moest geven.

En bakker Trip was voortaan beleefd en vriendelijk tegen het deegmannetje. Ik geloof zelfs dat bakker Trip tegenwoordig iets minder zuur en knorrig en miezig en kniezig is.

Maar tussen haakjes: als jullie een stekelvarken tegenkomen dezer dagen: 't kán een paasbrood zijn.

Spikkeltje

MET TEKENINGEN VAN MARTIJN VAN DER LINDEN

Er waren eens een koning en een koningin die zo verschrikkelijk graag een kindje wilden hebben. De jaren gingen voorbij en ze kregen maar geen kindje totdat de koningin eindelijk zei: 'Zal ik eens naar een toverheks gaan?'

'Dat zou ik nooit doen,' zei de koning. 'Daar komt altijd narigheid van.'

'Er woont er eentje vlakbij,' zei de koningin. 'Je weet wel, achter in onze tuin, in de grote perenboom.'

'Woont er een heks in de perenboom?' riep de koning verschrikt.

'Doe niet zo onnozel,' zei de koningin. 'Jij hebt het zelf goedgevonden dat ze daar haar huisje bouwde. Op zo'n dikke tak bovenin. Je weet wel... ze heet Akkeba.'

'O ja,' zei de koning. 'Dat mens dat zo hard op haar bezemsteel door de lucht jaagt. Wou je heus aan haar vragen of...?'

Maar de koningin was al weg. Ze liep de tuin in, ging onder aan de perenboom staan en riep: 'Akkeba!'

Er kwam een oud warrig heksenhoofd tussen de peren door gluren. 'Wie wou daar wat?' vroeg het hoofd.

'Ik ben het,' zei de koningin. 'Ik wou zo graag een kindje.'

'Kom een beetje hoger. Ik versta je niet,' schreeuwde de heks.

Toen klom de koningin tot boven in de perenboom, tot vlak bij het huisje dat daar tussen de takken was gebouwd en ze herhaalde haar vraag.

'Zo zo,' prevelde de heks. 'Een kindje, wel wel... 's even kijken... Hier,' zei ze toen en gaf de koningin een eitje. Een klein gespikkeld eitje.

'Wat moet ik daarmee?' vroeg de koningin.

'Uitbroeden natuurlijk,' zei de heks. 'Wat anders? Het is een lijster-ei. Ga er drie weken op zitten en broed het uit.'

'Maar...' zei de koningin met bevende stem, 'wordt het dan niet een vogeltje?'

'Helemaal niet,' zei de heks. 'Het wordt een prinsesje. Met alles d'r op en d'r an!'

'En eh... waar moet ik dat doen? Waar moet ik dat ei uitbroeden?' vroeg de koningin.

'In die boom hiernaast,' zei Akkeba. 'In die oude lindeboom.'

'Ik wil het eerst aan mijn gemaal vragen,' zei de koningin en klom met het ei naar beneden.

'Maar denk erom...' riep de heks haar achterna, 'denk erom dat je je dochter in het najaar altijd binnen houdt! Anders vliegt ze weg met de trekvogels.'

De koningin bedankte de heks en ging naar het paleis terug. 'Moet ik het doen?' vroeg ze aan de koning. 'Ik zie er een beetje tegenop. En dan – een koningin die zit te broeden in een boom... is dat wel zoals het hoort?'

'Helemaal niet zoals het hoort,' zei de koning. 'Ik keur het af.'

'Maar ik wil het toch,' zei de koningin.

'Als je dan met alle geweld wilt,' zei de koning, 'neem dan drie donzen kussens mee, zodat je warm en zacht zit. Ik laat een schutting bouwen om die linde, anders ziet het hele koninkrijk je zitten en dat is nergens voor nodig.'

Zo gebeurde het. De koningin zat drie weken lang op het ei, te

midden van donzen kussens en al haar kanten rokken boven in de lindeboom, bijzonder ongemakkelijk, maar gelukkig kon niemand haar zien, want er stond een keurige schutting om de boom.

Na drie weken ging het eitje open en warempel... er kwam geen vogeltje uit, maar een kindje. Een schattig klein, klein kindje met haartjes en nageltjes en een neusje, een lief zoet prinsesje was het.

'Wie had dat gedacht,' bromde de koning toen de koningin ermee binnenkwam. 'Wat een bijzonder knappe dochter. Ze heeft alleen drie zwarte spikkeltjes op haar buikje, maar dat hindert niet, daar gaat altijd wel een jurk overheen. En nu vieren we feest!'

Er werd een machtig feest gevierd, alle vlaggen werden uitgestoken en de heks Akkeba kwam uit haar perenboom om het prinsesje te zien. Ze kietelde het kindje onder de kin en zei tot de koningin: 'Is dat niet prima gelukt? Maar wees vooral voorzichtig in de herfst. Nóóit naar buiten als de bladeren vallen!'

Toen vloog ze weg door het open venster, zo hard als een straaljager.

Het kleine prinsesje heette Gloriandarina, maar iedereen noemde haar Spikkeltje, dat was eenvoudiger. En ze groeide heel normaal op en leek helemaal niet op een vogeltje. Ze was lief en mooi en heel gelukkig, behalve in de herfst, want dan mocht ze niet naar buiten.

'Wacht maar tot de eerste sneeuw valt,' zei de koningin, 'dan mag je met de slee het park in. Nog even geduld... nog even geduld.'

Maar op een van die stormachtige najaarsdagen stond Spikkeltje voor het raam en verveelde zich. Buiten dansten de gele bladeren over het gazon. Ze zonken telkens langzaam terug op het gras totdat de woedende wind ze weer opjoeg en een mal spelletje met ze speelde en weer andere bruine bladeren van de bomen woei.

'Ik wil meespelen met de wind en de bladeren,' zei Spikkeltje en ze deed het raam open. Ze klom naar buiten en begon te rennen tussen de bomen in de tuin. En juist op dat ogenblik kwam er een grote troep zwarte vogels over het park vliegen, een groep lijsters die gingen trekken naar het zuiden.

Spikkeltje strekte haar armen uit en kreeg zo'n verlangen om mee te vliegen met de vogels. 'Neem me mee!' riep ze.

Achter haar kwam juist de koningin verschrikt de tuin in. 'Niet doen, Spikkeltje,' riep ze. 'Kom dadelijk binnen!'

Maar Spikkeltje luisterde niet. Ze zwaaide met haar armen, ze ging op haar tenen staan, ze maakte vliegbewegingen. En de koningin zag dat haar dochtertje veren kreeg en een snaveltje en twee vlerkjes in plaats van armpjes.

'Mijn kind!' schreeuwde de koningin en rende op haar dochtertje toe. Maar Spikkeltje vloog weg met de andere vogels. Ze was geen prinses meer. Ze was een lijster.

Schreiend liep de koningin naar haar gemaal en vertelde hem wat er gebeurd was.

'We moeten dadelijk naar die heks,' zei de koning en greep zijn hermelijnen pet.

'Zal ík niet liever gaan?' vroeg de koningin.

'Nee,' zei de koning. 'Dit wil ik zelf doen.' Hij draafde de tuin door tot bij de grote perenboom en riep: 'Akkeba!'

Het hoofd van de heks kwam tevoorschijn. 'Wie wou daar wat?' vroeg ze.

'Mijn dochter is weggevlogen,' riep de koning.

'Kom wat hoger, ik versta je niet!' riep de heks.

De koning klom hijgend naar boven tot aan de hoogste tak, waar het huisje van de heks was.

'Mijn dochter is weggevlogen,' zei hij.

'Jullie eigen schuld,' zei de heks. 'Had je haar maar binnen moeten houden.'

'Ja maar luister nou eens,' zei de koning. 'Hoe krijgen we haar terug?'

'Wacht maar tot het voorjaar wordt,' zei de heks.

'Hoor eens,' zei de koning boos, 'ik beveel jou om ogenblikkelijk mijn dochter terug te brengen. En als je dat niet doet, laat ik je hoofd afslaan.'

'Wat?' riep Akkeba met een schrille stem. 'Wou je mij iets bevelen? Mij? De oeroude heks Akkeba? Scheer je weg of ik verander je in een worm.'

'Jij lelijk oud mens...' begon de koning ziedend van drift, maar de heks zei zacht en dreigend: 'Pas op hoor... in een worm verander ik je... in zo'n worm die in een peer zit... gauw weg... of anders...' En ze keek hem aan met woedende rode oogjes en ze spuwde naar hem.

De arme koning schrok zo en werd zo bang dat hij zich liet vallen en met een pijnlijke smak onder aan de perenboom terechtkwam.

Somber ging hij naar het paleis waar de koningin hem opwachtte, met een zakdoek voor haar ogen.

'En...?' vroeg ze.

'Wachten tot het voorjaar wordt,' zei de koning.

'Je hebt het natuurlijk weer niet goed aangepakt,' zei de koningin. 'Ik ga zelf.'

Maar toen de koningin bij de perenboom aankwam, vloog Akkeba juist weg op haar bezemsteel. Met een gierend geluid joeg ze driemaal om het park en verdween. En ze kwam niet meer terug.

Nog nooit had een winter zo lang geduurd.

De koning en de koningin zaten elke dag voor het raam en keken uit naar de lente. Eindelijk, eindelijk was het maart en de trekvogels keerden terug uit het zuiden.

'We zullen ze heel goed behandelen,' zei de koning. 'Alle katten moeten worden verbannen, iedereen moet lief zijn voor lijsters. Er moet voedsel worden gestrooid, er mag niet op lijsters gejaagd worden en iedere man in mijn rijk moet zijn hoed afnemen als hij een lijster tegenkomt. Want het kán de prinses zijn.'

Nog nooit waren de lijsters zo goed behandeld als toen. Er kwamen er dan ook steeds meer en steeds meer en ze waren niet schuw, maar zaten in grote groepen te zingen in alle tuintjes en zelfs bij de mensen in de keuken.

De koningin liep door de parken en de bossen en de weiden en riep: 'Spikkeltje!' En tegen iedere lijster zei ze: 'Ben jij mijn dochtertje niet?'

Maar de lijsters zongen allemaal hun kleine liedje en al die liedjes waren hetzelfde en nergens nergens was aan te zien welke lijster een prinses was.

In mei kwam er een prins over de grens op zijn witte telganger. Hij keek verbaasd toen hij de duizenden lijsters zag. En toen hij een kleermaker tegenkwam die diep zijn hoed afnam voor een lijster, moest de prins hard lachen.

'Wat gek,' riep hij. 'Moet dat hier?'

'Jazeker,' zei de kleermaker. 'Elke lijster kan onze prinses zijn.' En hij vertelde het verhaal van Spikkeltje en de toverheks Akkeba.

'Heeft ze rode oogjes, die heks?' vroeg de prins.

'Jazeker,' zei de kleermaker. 'En warrig haar.'

'En een kromme lange neus?' vroeg de prins. 'En rijdt ze op een

bezemsteel? Dan heb ik haar gezien. Ze woont boven in een appel-boom vlak op de grens. Ik zal persoonlijk naar haar toe gaan.'

Toen de prins bij de appelboom aankwam, zat de oude heks Ak-keba aan de voet van de boom in het gras en at een enorme appel.

'Peren zijn toch beter,' zei ze. 'Ik verwachtte je allang, m'n zoon. Je wilt weten hoe je de lijster weer in een prinses verandert, is 't niet?'

'Eerst wil ik weten welke lijster het is,' zei de prins. 'Er zijn er wel een miljoen.'

'Heb je parels bij je?' vroeg de heks. 'Toevallig wel,' zei de prins. 'Een zak vol.'

'Hier heb je een netje,' zei de heks. 'Vang daar je Spikkeltje maar mee.'

'Maar wie van die lijsters is het?' vroeg de prins.

'Denk dat zelf maar eens uit,' zei de heks. 'Ik kan niet alles voor je doen.'

De prins dacht na. Toen kocht hij bij een boer een zakje gerst en ging naar de heuvel waar de lijsters 's avonds in groten getale vergaderden. Hij schudde het zakje gerst leeg op de grond. En een eindje verder schudde hij het zakje parels leeg. Toen ging hij zitten en wachtte af. Alle lijsters kwamen aanvliegen en verdrongen zich om de gerstekorrels. Ze fladderden en vochten en tjilpten. Behalve één. Dat ene vogeltje liet de gerstekorrels liggen en kwam op de parels af. Het bleef er vlak naast zitten en hipte geestdriftig op en neer.

'Jij bent Spikkeltje,' zei de prins. 'Alleen een prinsesje geeft meer

om parels dan om eten.' En hij gooide het heksennetje over haar heen. En daar stond plotseling een heel lief meisje voor hem.

Hij zette haar voor zich op zijn paard en samen reden ze naar het paleis, waar de koning en de koningin begonnen te schreien van vreugde.

'Hoe heb je dat voor mekaar gekregen?' vroeg de koningin.

''t Was heel makkelijk,' zei de prins. 'Er was echt niets aan.'

De bruiloft werd gevierd en twaalf lijsters droegen de sleep van de bruid. De oude heks Akkeba woont weer in de perenboom en nog altijd neemt men in dat land zijn hoed af voor elke lijster. Mocht je er ooit komen, dan zul je het zelf zien en dan begrijp je waarom het zo is.

De maarschalk die zijn oor te luisteren legde

MET EEN TEKENING VAN SIEB POSTHUMA

Er was eens een koning die zo rijk was dat hij oesters at bij de thee en elke dag zijn varkens voerde met echte parels. Als hij voorbijreed in zijn zwarte koets met gouden wielen, bogen de mensen diep in het stof neer.

Soms zei een kind: 'Maar hij heeft geen aardig gezicht, moeder.' Dan schrok de moeder en fluisterde: 'Ssst, dat mag je niet zeggen.'

'Waarom niet?' vroeg het kind. 'De koning kan het toch niet horen?'

'Nee,' zei de moeder. 'Maar de koning heeft een maarschalk die zijn oor te luisteren legt.'

En dat was zo. De koning had een maarschalk die zijn linkeroor kon afschroeven. Zonder dat iemand het zag, legde hij het oor tussen struiken en groen, vlak bij het raam van een huis. Dan ging hij weg en liet zijn oor daar liggen.

Een paar dagen later haalde hij het oor weer op, schroefde het vast aan zijn hoofd en luisterde. 'Ah...' zei hij met glinsterende ogen, 'majesteit, ze hebben in dat huis kwaad van u gesproken!'

'Wat hebben ze gezegd?' vroeg de koning.

'Ze hebben gezegd dat u een ellendeling bent, majesteit.'

'Laat ze allemaal ophangen,' riep de koning. En dan werden de mensen uit dat huis gevangengenomen en opgehangen in de kersenboomgaard achter het paleis. De geraamten hingen tussen de kersenbloesem en klapperden in de wind. En er kwamen er steeds meer, want het oor van de maarschalk ving alle gesprekken op en de koning wist precies wie er kwaad van hem sprak. En reken maar dat het er veel waren, heel veel.

Op een keer wandelde de jonge prinses door de griezelige kersenboomgaard en ze kwam doodsbleek thuis, want ze had dit nooit eerder gezien. De koning begreep dadelijk waarom ze zo ontdaan was en hij probeerde haar gerust te stellen. 'Hier,' zei hij, 'm'n dochtertje, hier heb je een zilveren theeservies. Speel ermee en wees gelukkig.'

Maar de prinses kon niet gelukkig zijn. Ze werd bleker en bleker en stiller en stiller en ze moest aldoor denken aan de geraamten in de kersenboomgaard. Eindelijk kon ze niet meer lachen en de koning werd ongerust. 'Laat de berenman komen,' riep hij. 'Laat de beer koorddansen.'

En die avond kwam er een jongeman met een beer die kon koorddansen. Het hele hof zat te kijken. Er was een koord gespannen van de ene pilaar naar de andere, heel hoog in de troonzaal. De beer danste over het koord van de ene kant naar de andere, met een stok tussen de voorpoten. Het was énig en iedereen juichte en klapte, ook de prinses die voor het eerst sinds lange tijd schaterde van het lachen.

Toen de voorstelling was afgelopen, knielde de berenman voor de prinses en gaf haar eerbiedig een witte duif. Ze bloosde, nam de duif van hem aan en gaf hem een zoen op zijn voorhoofd. Ze vond hem heel lief.

Toen de koning dat zag, werd hij woedend en hij fluisterde tegen zijn maarschalk: 'Leg vannacht je oor te luisteren bij de berenman.' Hij had het heel zacht gezegd, maar de prinses had het toch gehoord en toen ze naar bed ging, kon ze niet slapen en dacht: wat moet ik doen om de berenman te redden?

Intussen was de berenman naar huis gegaan, naar de herberg waar hij altijd sliep en door de nauwe donkere straatjes van de stad werd hij gevolgd door de maarschalk. En toen de berenman zich neerlegde, zoals altijd, in de stal van de herberg, met zijn hoofd op de zachte wollige buik van de beer, toen stond buiten de maarschalk, schroefde zijn oor af en legde het te luisteren vlak voor het stalraam in het hoge gras tussen de struiken.

Daarbinnen in de stal praatte de berenman met zijn beer. 'O, lieve beer,' zei hij. 'Ik ben verliefd op de mooie prinses en ik wil met haar trouwen. Maar het zal me nooit lukken want haar vader is een afschuwelijke man. Een tiran, een monster, een schurk!'

Buiten z'n raam ving het oor dat allemaal op. De maarschalk zelf was intussen naar het paleis teruggegaan, waar de koning hem opwachtte met een gouden kandelaar in zijn hand, boven aan de trap.

'En?' vroeg de koning.

'Ik heb mijn oor te luisteren gelegd,' zei de maarschalk. 'Vlak

onder zijn raam. Morgen haal ik het. Dan hoor ik wat hij gezegd heeft, majesteit.'

'Juist,' zei de koning, 'en als hij iets kwaads gezegd heeft, dan hangen we hem aan de dertiende kersenboom van links.'

Hoewel de koning en de maarschalk dit fluisterend bespraken, had de prinses het toch gehoord, want ze stond in haar kanten nachtponnetje in het donkerste hoekje van het portaal. Ze sloop terug naar haar kamer, streelde haar witte duif, schreef een piepklein briefje en maakte het aan zijn pootje vast. Toen liet ze de duif uit haar raam.

Het beestje vloog regelrecht naar de herberg. De berenman werd wakker door het geklep van de vleugels; hij las het briefje en schrok zo vreselijk, want daar stond te lezen dat het oor van de maarschalk lag te luisteren, ergens vlak bij de herberg.

Hij sprong op en trok de beer aan z'n ketting mee naar buiten.

'Lieve beer,' fluisterde hij, 'zoek het oor tussen de struiken, zoek overal naar het oor.'

De beer begon snuffelend om het huis heen te lopen.

Hij snoof en snoof en volgde zijn eigen scherpe berenneus de hele herberg langs tot vlak onder het stalraam. Daar bleef hij staan, keek zijn baas aan en bromde nijdig.

'Ligt het daar?' vroeg de berenman. 'O, ik zie het, een groot roze oor... het oor van de maarschalk. Mensen, mensen, ik heb het oor van de maarschalk gevonden!'

Door dit geroep werd iedereen wakker, de mensen kwamen uit hun huizen en keken verbaasd naar het oor dat de maarschalk te luisteren had gelegd.

'Heeft iedereen het goed gezien?' vroeg de berenman. 'Toe dan maar, m'n beertje!'

De beer deed zijn enorme muil open en slokte het oor met één hap naar binnen. Alle mensen juichten en ze droegen de berenman op de schouders door de stad. Steeds meer mensen stroomden toe en met de beer voorop ging het naar het paleis, waar de koning in de vroege ochtenduren thee zat te drinken – met oesters – voor het raam. Naast hem zat de maarschalk en luisterde met zijn rechteroor, het enige oor dat hij aanhad.

Hij werd doodsbleek. 'Hoort u wat ze roepen, majesteit?'

'Nee,' zei de koning. 'Wat roepen ze dan?'

Ze roepen: 'Hoera, de beer heeft het oor van de maarschalk opgegeten.'

'O wee,' zei de koning. 'Daar komen ze met lansen en pieken en
hooivorken en messen... dat wordt opstand geblazen... kom mee...
voor het te laat is!'

En de koning en z'n maarschalk ontsnapten aan de achterkant
van het paleis en vluchtten dwars door de kersenboomgaard met de
bungelende geraamten.

Toen de berenman met zijn beer en al het volk in het paleis drong,
was daar enkel de prinses en ze ontving hem met haar liefste glimlach.

Ze trouwden en hij werd koning. De kersenboomgaard werd om-
gehakt en de geraamten werden keurig begraven. De beer kreeg
een eigen bed in de koninklijke slaapkamer. Hij snurkte wel, maar
de jonge koning en zijn gemalin glimlachten in hun slaap.

De familie Babbertje

MET TEKENINGEN VAN CARLL CNEUT

Er stond een poppenhuis in de etalage. Het was zo mooi, dat iedereen bleef staan om ernaar te kijken, maar het was zo duur dat niemand geld had om het te kopen. De kleine Bertha, die aan de overkant woonde, kwam iedere dag haar neus platdrukken op het etalageraam. Och, wat was dat poppenhuis prachtig. Beneden waren twee kamers en een gang en een keuken. Een keuken met een echt aanrecht, een fornuisje met pannetjes, een keukenkast met geruite gordijntjes en een echt gootsteentje. In de voorkamer stonden een canapé en een schemerlamp en een klein buffetje en boven in de slaapkamers waren bedjes met dekentjes en petieterige vaste wastafeltjes. Poppen waren er niet in, maar, dacht Bertha, die zou je er zelf in kunnen zetten. Jammer dat het zo duur was en zuchtend ging zij weer naar huis om 's nachts van het poppenhuis te dromen.

Toen het huis een maand lang in de etalage had gestaan en nog niet was verkocht, werd meneer Bom kriegel. Meneer Bom was de speelgoedwinkelmeneer. Hij nam boos het hele poppenhuis op en zette het in de verste hoek van de winkel. Ziezo, daar stond het en niemand keek er meer naar om.

Totdat er op zekere nacht iets heel wonderlijks gebeurde. Er kwam een poppenfamilie de winkel binnengeslopen, toen meneer Bom sliep en niemand iets merkte. Het was de familie Babbertje, vader en moeder en twee kleine jongetjes. Zij leefden echt en konden praten en lopen. Dat is heel vreemd voor een poppenfamilie en eigenlijk erg akelig, want ze konden nooit overdag langs de straat gaan, dan zouden ze worden opgepakt door boze mensen. Daarom deden ze alles 's nachts en ze zochten een huis en waren heel toevallig door een kier in het raam de speelgoedwinkel binnengekomen. 'Och, moeder Babbertje,' zei vader Babbertje, 'kijk eens wat een prachtig huis. Daar zullen we in gaan wonen.' En ze namen hun intrek in het prachtige poppenhuis. Om hen heen stond al het speelgoed, spoortreinen en meccanodozen en springtouwen, maar al het speelgoed was dood en alleen de familie Babbertje leefde. De kinderen speelden in de serre en moeder kookte in de keuken en vader ging er 's nachts op uit om eten in huis te halen. Een poos lang waren ze erg gelukkig en altijd als meneer Bom in de buurt kwam kroop de hele familie in de klerenkast, om niet gezien te worden.

Maar op zekere dag waren de twee kleine jongetjes een eindje gaan wandelen. Ze speelden verstoppertje tussen de teddyberen. Nu was meneer Bom juist bezig in de winkel met een klant, die zo'n teddybeer wou kopen. En je begrijpt al wat er toen gebeurde. 'Wat is dat nu,' zei meneer Bom, 'twee kleine poppetjes, die lopen en spelen?' En met één stap was hij bij hen en ving ze. 'Wel, dat is heel bijzonder,' zei hij, 'twee van die kleine mannetjes, daar kan ik wel iets mee doen. Weet je wat, ik zal ze verkopen aan een kermistent en er erg veel geld voor vragen.' Hij deed de jongetjes in een schepnetje en hing ze op aan een spijker. Daar zaten ze nu. Ze huilden en spartelden maar konden er niet uit. En die arme vader en moeder Babbertje zaten in hun huis en begrepen maar niet waar hun kinderen gebleven waren. Och, wat was dat allemaal akelig. Toen het donker was geworden, ging vader Babbertje op zoek. Hij zocht de hele winkel door en hoorde toen ineens een stemmetje: 'Ze zitten in het netje bij de deur, vader Babbertje!'

'Wie spreekt daar,' zei vader bevend.

'Ik ben het, de muis,' en jawel hoor, daar zat een grote muis te kijken met zwarte oogjes.

'Och, lieve muis, wat moet ik doen,' zei vader Babbertje.

'Weet je wat,' zei de muis, 'ik zal het netje voor jullie kapotknagen, maar dan moeten jullie toch zo gauw mogelijk verhuizen, dat begrijp je wel, het is hier helemaal niet veilig.'

Hij wees vader Babbertje de weg naar het schepnetje en daar lagen de twee kleine poppenjongetjes, ze waren moegehuild in slaap gevallen. In een ommezien had de muis het net kapotgeknaagd en dolgelukkig omhelsde vader Babbertje zijn kindertjes.

'Maar waar moeten we nu naartoe,' vroegen ze alle drie.

'Ik heb een plan,' zei de muis. 'Er woont hier aan de overkant een heel lief meisje, ze heet Bertha en ze heeft altijd zo graag dat poppenhuis willen hebben. Zullen we het vannacht met z'n allen afbreken en naar de overkant brengen?' Dat was een prachtig plan.

Moeder Babbertje werd er gauw bij geroepen en met de hulp van de muis gingen ze allemaal hard aan het werk. Ze braken het poppenhuis af en sleepten stuk voor stuk alles naar het huis aan de overkant.

En toen de kleine Bertha de volgende morgen wakker werd, zag zij naast haar bedje het mooie poppenhuis staan. En wat het wonderlijkste was: er woonden levende poppetjes in. Wat was dat een vreugde; Bertha speelde met de familie Babbertje en zorgde goed voor hen. En iedereen was erg gelukkig, behalve meneer Bom, die maar nooit heeft kunnen begrijpen waar zijn poppenhuis gebleven was. En hoe zijn vangst uit het schepnetje verdwenen was.

Joris en de vreemde laarzen

MET TEKENINGEN VAN MARENNE WELTEN

Er was eens een schoenlapper die Joris heette. Hij woonde in een keldertje en daar zat hij de hele dag te kloppen en te hameren. Hij had genoeg klanten! O, hij had het zo druk! Hij kreeg kleine kinderschoentjes, en satijnen avondschoenen met hele hoge hakken, en hoge baggerlaarzen en flinke stappers voor jongens op school. En Joris vond het een prettig werk om al die schoenen weer heel en proper af te leveren.

Eens op een dag kwam er een nieuwe klant zijn keldertje binnenstappen. Het was een wonderlijke oude man. Hij droeg een bontmuts, hij had een lange zwarte jas aan, hij droeg een grijze baard, die tot op zijn buik hing en in zijn hand hield hij het wonderlijkste paar schoenen dat Joris ooit gezien had.

'Kun je die schoenen voor me repareren,' vroeg de vreemdeling. 'Maandag moeten ze klaar zijn.'

Joris bekeek de schoenen. Het waren hoge laarzen met randjes grijs bont. Zilveren gespen zaten eraan, ze waren sierlijk van vorm en van het aller-allerfijnste leer gemaakt.

'Dat kan wel,' zei Joris, 'het is nu zaterdagmorgen, ik zal er direct aan beginnen, komt u ze maandag maar halen.'

De vreemdeling ging weg en Joris ging meteen aan het werk en zette nieuwe zolen op de prachtige laarzen. En hoe langer hij eraan werkte, hoe mooier hij die schoenen begon te vinden. Had ik ook maar zulke schoenen, dacht Joris, had ik maar zoiets moois. En toen dacht hij verder. Misschien kan ik ze morgen eventjes aantrekken. Morgen is het zondag, dan ga ik ermee wandelen, dat ziet die oude man toch niet. Zal ik het maar doen?

De volgende morgen was het mooi weer, de zon scheen en Joris bedacht zich niet langer en trok de vreemde laarzen aan. Ze zaten hem als gegoten en hij was zo trots als een pauw. Hij trok zijn overjas aan, sloot zijn keldertje af en ging wandelen door de stille straten van het stadje.

O wat voelde Joris zich gelukkig in die prachtige laarzen met bontrandjes. Weet je wat, dacht hij. Ik ga naar de kerk, de mensen zien dan allemaal wat een prachtige schoenen ik aanheb. Dat is een goed idee.

Maar toen Joris bij de kerk kwam en erin wilde gaan... toen gebeurde er zoiets vreemds. De schoenen wilden niet gaan waar Joris ging. Het was of die schoenen vanzelf liepen. Zo kwam het dat Joris niet de kerk binnenging maar erlangs liep. Het was zo wonderlijk, dat hij besloot om te draaien en naar huis te gaan. Maar ook dat lukte niet, de laarzen wilden niet naar huis, die wilden steeds rechtdoor lopen en of Joris nu ook nog zo hard een andere kant op wou lopen, het ging eenvoudig niet. Toen werd hij toch wel verschrikkelijk bang. Hij riep een voorbijganger aan en zei angstig: 'Wilt u me helpen die laarzen uit te doen?'

'Jazeker,' zei de voetganger, 'sta maar even stil.'

Joris probeerde stil te staan, maar niks hoor, de laarzen liepen verder en Joris moest mee en de ander keek hem verbaasd na en haalde zijn schouders op.

Zo liep Joris verder, de hele stad door, uren- en urenlang, het ene straatje uit en het andere in. 'Oooh,' zuchtte hij, 'wat vreselijk, ik heb toverschoenen aan, die oude man was een boze tovenaar, nu zal ik mijn hele leven in deze schoenen moeten rondlopen en nooit zal ik meer thuiskomen in mijn keldertje. Wat moet ik toch doen, wat moet ik toch doen?'

Och en hij werd zo moe, en de laarzen liepen maar door.

Toen... wat was dat, daar op een hoek van een straatje stond een zwijgende figuur. Een oude man met een baard en met een lange zwarte jas aan. De laarzen liepen vanzelf naar hem toe en de oude man keek heel verwonderd.

'O, meneer,' zei Joris, 'hier zijn uw laarzen.' Toen bleven de laarzen ook werkelijk staan en Joris was zo vermoeid, dat hij op de plaats zelf op de grond ging zitten.

De oude vreemde man begon toen te lachen, te lachen dat de tranen hem over de wangen liepen. 'Heb je de laarzen aangetrokken om ermee te gaan wandelen?' vroeg hij.

'Ja,' zei Joris.

'En wilden ze toen niet de weg gaan die jij wou gaan?' vroeg de oude man weer.

'Nee,' zei Joris. 'Het was afschuwelijk, ik heb uren en uren gelopen.'

'Tja,' zei de vreemdeling, 'dat komt ervan, als je zo ijdel bent dat je de laarzen van je klanten op zondag aantrekt.

Je moet weten, het zijn toverlaarzen, ze brengen je overal heen waar je wilt, maar... je moet er een toverwoord bij zeggen. Als je zegt "Flituria" en je noemt dan de plaats waar je heen wilt, dan kom je er vanzelf.

Wil je nu met deze laarzen naar je huis? Zeg het woord dan maar en zeg erbij waar je heen wilt. Ga je gang, morgen kom ik de laarzen halen.'

Joris keek eens naar de laarzen, fluisterde 'Flituria' en daar gingen ze.

Veel, veel harder dan hij zelf zou kunnen lopen. In een paar minuten was hij thuis en daar kon hij ook werkelijk de schoenen uittrekken...

De volgende morgen kwam de vreemdeling ze halen en Joris gaf ze met een stralende glimlach af. 'Hier zijn ze,' zei hij. 'Ik ben maar blij dat het mijn laarzen niet zijn, want ik ben er een beetje bang voor.'

De oude man ging voldaan weg met de mooie toverlaarzen en Joris vertelde zijn avontuur aan iedereen.

Roel-met-gevoel

MET TEKENINGEN VAN JAAP DE VRIES

'Nu ons zoontje is geboren,' zei de koningin, 'zullen we een groot doopfeest houden.'

'Heel goed, liefste,' zei de koning. 'Als je tante Oena maar weglaat.'

'Waarom?' vroeg de koningin. 'Tante Oena zou woedend zijn als we haar geen uitnodiging stuurden. Denk erom dat ze toverkracht heeft!'

'Daar ben ik juist zo bang voor,' zuchtte de koning. 'Stel je voor dat ze een wens uitspreekt bij de wieg. En stel je voor dat het een boze wens is.'

'Kom kom,' zei de koningin. 'Tante Oena houdt van ons. Ze zal ons kindje enkel het goede wensen.'

Het doopfeest werd gehouden in de tuin. Alle fonteinen spoten rozenwater en er brandden zesduizend blauwe gloeilampjes tussen de jasmijn. Hertoginnen en vorsten met gouden kroontjes verdrongen zich om de wieg en streelden het hoofdje van de baby. Het laatst kwam tante Oena.

Zij was een machtige vrouw, groot en dik, helemaal in het paars gekleed met een toren van rood haar op haar hoofd. Ze keek in de wieg en zei: 'Wat een snoeperig kind. Kan ik jullie plezier doen met een wens? Wat hadden jullie gehad willen hebben?'

Het werd doodstil in de tuin. Alle gasten hielden hun adem in en wachtten vol spanning af wat de vader en moeder zouden wensen.

De koning schraapte zijn keel en begon: 'Ik zou graag willen dat de prins heel sterk wordt en heel moedig. En heel rijk...' voegde hij er snel aan toe.

De koningin keek om zich heen naar alle hoge gasten en zei: 'Wacht even, tante Oena, ik ben het daar niet mee eens. We zouden veel liever willen dat ons kind een goed hartje had. Is het niet zo, lieve man?'

'Hm...' bromde de koning. Ook hij keek om zich heen en toen hij zag dat iedereen geestdriftig knikte, zei hij: 'Wel, inderdaad, natuurlijk, jazeker.'

'En daarom...' sprak de koningin met ontroerde stem, 'daarom, lieve tante Oena, maak mijn zoontje een goed mens. Zo goed dat hij meer aan anderen denkt dan aan zichzelf. Zo nobel dat hij treurt als er iemand anders treurt, hetzij mens of dier.'

Er ging een gemompel van bewondering door het hele gezelschap. Wat een prachtige wens!

Tante Oena plukte een takje jasmijn af en zwaaide ermee boven het kleine prinsenhoofd. 'Prins Roel zul je heten,' zei ze. 'En je zult zijn zoals je moeder je hebben wou. Roel-met-gevoel.'

Toen danste tante Oena de polka met de koning; de fonteinen spoten nu champagne, behalve twee die cola spoten, en het werd een verrukkelijk feest. Na afloop mochten alle gasten de neushoorntuin bekijken, een park waar honderden neushoorns achter tralies liepen. Daarmee was het festijn afgelopen.

Het was spoedig merkbaar dat de wens van tante Oena geholpen had. Want toen prins Roel opgroeide, bleek hij wel een bijzonder goed kind te zijn. Hij gaf al zijn speelgoed weg, zodat hij zelf nooit iets overhield. Telkens kreeg hij nieuwe hobbelpaarden, nieuwe rolschaatsen en nieuwe spoortreinen, maar nog voor hij er zelf mee gespeeld had, zei hij: 'Laten we het weggeven aan Pietje van de kolenboer.'

'Maar jongen, wil je er dan niet eventjes zelf mee spelen?' vroeg de koning.

'Nee,' zei de prins. 'Ik heb voor mezelf niets nodig.'

'Ik vind het onnatuurlijk,' zei de koning tot zijn vrouw.

'Integendeel, het is heerlijk,' zei de koningin. 'Mijn lieve Roel-met-gevoel!'

Het was wel jammer dat Roel zoveel huilde. Soms zat hij uren te snikken en als de hofdames vroegen: 'Wat scheelt eraan, doorluchtigheid?', dan antwoordde de prins: 'Ik huil, omdat de vrouw van de kleermaker hernia heeft.' Of hij zei: 'Ik huil, omdat er arme kinderen zijn die nog nooit kreeft hebben gegeten.' Of hij zei: 'Wat vreselijk dat er oude mensen bestaan.'

Er werd besloten om alle arme, zieke en oude mensen zo ver mogelijk van de prins vandaan te houden. Ze werden naar een uithoek van het koninkrijk gebracht en daar zaten ze op een kluitje. De prins zag dus niets van hun ellende en dat was een hele rust. Maar helaas... er bleef nog altijd genoeg te huilen over. Hij huilde, omdat de kamerheer een lintworm had. En toen de dokter kwam om de kamerheer te genezen, toen huilde de prins, omdat de arme lintworm eraan was doodgegaan.

Voortaan was het streng verboden aan het hof om te klagen of treurig te kijken. Men had de plicht gelukkig te zijn en altijd te huppelen. En dat viel niet mee. Op een keer ontmoette Roel de kok in een van de gangen.

'Wat scheelt eraan?' vroeg hij. 'Je kijkt zo sip, kok.'

'Mij scheelt niets,' zei de kok haastig en deed drie huppelpasjes.

'Ik ben heel gelukkig, ha ha!'

'Niet waar,' zei de prins. 'Er is iets. Zeg me dadelijk wat er is.'

'Ach,' zei de kok. 'Ik ben wat somber gestemd, omdat mijn dochter zo lelijk is.'

'Lelijk? Hoezo lelijk?' vroeg de prins

'Wipneus,' zei de kok. 'Peenhaar en zulke voeten.' Hij wees hoe groot. 'Ze krijgt dus nooit een man, want niemand wil zo'n lelijk meisje. Ze heet Iezebel.'

'Breng haar dadelijk hier,' zei Roel, 'dan trouw ik met haar.'

De kok durfde niet tegensporrelen en hij haalde zijn dochter. Nou, lelijk was ze met haar wipneus, peenhaar en grote voeten, maar de prins trouwde de volgende dag met haar. Dat was voor de oude koning en koningin wel een slag; ze kwamen er niet meer overheen, kwijnden weg en stierven samen op één dag.

En nu was Roel-met-gevoel dus zelf koning. Hij zat op de troon

met naast zich koningin Iezebel. En dit moet gezegd worden: ze was dan wel lelijk, maar ook erg lief en verstandig en ze zag al heel gauw dat haar man een raar soort koning was.

Om te beginnen ging hij op reis in zijn koets en toen hij terugkwam was zijn hermelijnen jas doorweekt van tranen.

'Wat is er? Waarom huil je zo?' vroeg de koningin.

'O,' zei de nieuwe koning. 'Wat een ellende overal. Ik zag een uithoek van ons land waar alle oude, zieke en arme mensen tezamen zitten.'

'En wat heb je daaraan gedaan?' vroeg de koningin.

'Niets,' zei koning Roel. 'Ik moest zo vreselijk huilen, ik kon niets doen.'

'Aan tranen hebben ze niet veel,' zei Iezebel. 'Had je ze niet beter kunnen helpen?'

'O, maar ik heb een heleboel gedaan hoor,' zei de koning. 'Onderweg kwam ik langs een gevangenis waarin alle dieven zaten opgesloten. De arme kerels. Ik heb ze losgelaten.'

'Wát? Lopen alle dieven nu vrij rond?' vroeg Iezebel verschrikt.

'Natuurlijk, de stakkers,' zei de koning. 'En weet je wat ik ook gedaan heb? De neushoorns vrijgelaten. De arme dieren zaten achter tralies.'

'De neushoorns? Maar ze zijn gevaarlijk!' riep de koningin. 'Wat ben jij voor een koning? Je bent een lor van een koning!'

Roel keek haar treurig aan en zei: 'Ik zal niet lang meer koning zijn. De vorst van hiernaast staat aan de grens met een groot leger. Hij wil ons veroveren.'

'En wat ben je van plan te doen?' vroeg koningin Iezebel.

'Niets,' zei koning Roel. 'Helemaal niets.'

Op dat moment kwam de eerste minister trillend van de zenuwen binnen en zei: 'Sire, de toestand is onhoudbaar. Uw onderdanen vluchten de bomen in, want overal lopen woeste neushoorns. En de dieven zijn bezig de Bank te beroven. Uw volk is diep ongelukkig.'

'Is dat zo?' vroeg de koning met bibberende stem en zijn tranen vloeiden weer. Toen verloor de koningin haar geduld. Ze greep een zilveren kandelaar en sloeg hem daarmee hard op het hoofd. 'Daar,' zei ze. 'Wat doe je nu?'

Roel keek haar bedroefd aan en zei: 'Niets, lieveling.'

Sprakeloos van woede draaide de koningin zich om en liep het paleis uit, naar tante Oena die boven op de berg woonde. Onderweg ving ze af en toe een glimp op van hollende neushoorns. Ze zag ook groepjes sluipende dieven, maar ze was te boos om ergens bang voor te zijn. Hijgend kwam ze boven, bij tante Oena die haar vriendelijk toeknikte.

'Ik verwachtte je al, lieve kind,' zei tante Oena. 'Je komt me zeker iets vragen. Wou je soms wat mooier worden?'

'Dat heeft geen haast,' zei koningin Iezebel. 'Er is iets veel belangrijkers. Ik wou dat u mijn man een tikje slechter kon maken.'

'Hij is te goed zeker?' vroeg tante Oena.

'Veel te goed.'

'Ga maar naar huis,' zei tante Oena. 'Het is al gebeurd.'

De koningin liep naar het paleis terug, zo snel als haar grote voeten haar dragen konden. En toen ze binnenkwam, zag ze haar gemaal staan met een grote stok in zijn hand. Hij stond te schelden tegen de eerste minister.

'Wat is dat voor een troep hier?' riep hij dreigend. 'Wilde neushoorns in de stad! Allerlei gespuis op de wegen! Wat moet dat? Sluit ze ogenblikkelijk allemaal op. En wat hoor ik, staat er een vijand voor de grens? Zou je daar dan niet eens wat aan doen? Lanterfanter!'

'O Roel,' zei de koningin, die net binnenkwam. 'Wat ben je veranderd!'

Hij keek om en zag zijn vrouw staan. 'Jij...' riep de koning wit van drift. 'Jij hebt me geslagen met een kandelaar. Hoe durf je!' Hij liep naar haar toe en gaf haar een draai om haar oren.

De ogen van koningin Iezebel begonnen te stralen. Ze was plotseling mooi van geluk. 'Je slaat mij,' riep ze opgetogen.

'En je kunt nog meer krijgen ook!' riep de koning.

Het hele hof kwam kijken naar de driftbui van de koning en iedereen was dolgelukkig. En van dat ogenblik af heette de koning niet meer Roel-met-gevoel. Hij heette voortaan Roel-met-een-doel. Goed was hij nog wel, maar hij had geen tijd meer om te huilen en hij was precies slecht genoeg om een beetje verstandig te wezen. Eén kanonschot in de lucht was voldoende om de vijand weg te jagen. De zieken werden beter gemaakt, de armen werden een pietsje rijker gemaakt, alleen: oude mensen jong maken, dat kon de koning niet. Maar het was niet nodig, want ze zaten gezellig op een bankje te kijken naar de neushoorns in het park, die stevig achter tralies werden gehouden.

'Zal ik aan tante Oena vragen, of ze mij een beetje mooier maakt?' vroeg de koningin wel eens.

'Laat maar,' zei de koning. 'Ik hou van je zoals je bent.'

Dat zijn prettige woorden om te horen. Daarom leefden ze nog lang en gelukkig.

Het neurievolkje

MET TEKENINGEN VAN MANCE POST

Er was eens een klein meisje dat Liefje heette en dat op de bovenste verdieping van een heel hoog flatgebouw woonde. Op een ochtend werd ze vroeg wakker, kleedde zich aan en ging met de lift naar beneden. Omdat het zo vroeg was, stond ze helemaal alleen in de lift en ze wachtte totdat de lift zou stoppen. Maar – en dat was heel vreemd – de lift stopte niet. De lift zakte lager en lager en lager en lager en stopte niet. En toen zag Liefje in het schemerdonker van de lift nog iemand staan. Het was een grote zwarte mol met een zilveren ketting om. Hij bromde zachtjes voor zich uit: 'Mag ik u allen van harte welkom heten. Hoera.'

'Dank u wel,' zei Liefje. 'Maar ik ben niet met z'n allen. Ik ben alleen.'

'Hè,' zei de mol kribbig. 'Je maakt me in de war. Ik ben bezig mijn toespraak voor te bereiden voor straks. Ik, als graafmeester, moet de toespraak houden!'

'Neem me niet kwalijk,' zei Liefje. 'Waarom duurt het zo lang voor de lift beneden is, meneer Mol?'

'Wel,' zei de mol. 'Het is me ook nogal een diepte! Vierhonderdvijftig meter! Of is het tegenwoordig vijfhonderd meter?'

'Ik begrijp u niet,' zei Liefje bedremmeld. 'Waar gaan we heen, zo diep onder de grond?'

'Weet je dat dan niet?' vroeg de mol verbaasd. 'Naar het neurievolk natuurlijk. Ze zijn familie van de elfen. Heel bang voor lawaai. Bij iedere nieuwe uitvinding gaan ze vijftig meter dieper de grond in. Het begon al bij de stoommachine. Toen kwamen de auto's: weer vijftig meter dieper. Bij de vliegtuigen weer! Bij de radio's en daarna bij de televisie... telkens vijftig meter dieper.'

'En waarom heten ze het neurievolk?' vroeg Liefje.

'Omdat ze neuriën,' zei de mol. 'Zo.' Hij deed zijn snuit dicht en zoemde heel afschuwelijk. 'Zij doen het mooier,' zei hij. 'En hun koning heet Mimander. Hij trouwt vandaag, vandaar de toespraak.' En de mol begon weer haastig te prevelen: 'Mag ik u allen van harte welkom heten. Hoera.'

'Met wie trouwt de koning?' vroeg Liefje. Maar voordat de mol antwoord kon geven, stopte de lift met een lichte trilling. De mol duwde de liftdeur open en ze stonden in een verrukkelijk bos waar de zon danste met miljoenen vlekken tussen de takken. Het gras was blauw en er stonden twee troontjes, gemaakt van eierschalen. Koning Mimander zat op een daarvan. Hij droeg een bontmanteltje van hommelvelletjes en het neurievolk zat om hem heen. Ze hadden groene wuivende haren en hun oortjes waren spits en harig, als die van vosjes, maar hun ogen waren groot en zachtmoedig. De mol boog zenuwachtig en begon meteen aan zijn toespraak: 'Mag ik u allen van harte...'

'Wacht even,' zei de koning. 'Niet zo snel, graafmeester, ik zie dat u mijn bruid hebt meegebracht?'

'Is zij dan de bruid?' vroeg de mol geschrokken. 'Dat wist ik niet.' Hij boog diep voor Liefje die een paar stappen achteruit deed.

'Kom naast me zitten, Liefje,' zei Mimander en hij wees op de troon naast de zijne.

Ik eh... ik moet naar huis,' stamelde Liefje. Ze was bang.

Ze wilde niet trouwen met een groenharig koninkje. Ze wou weglopen, maar Mimander hield haar hand vast en zei: 'Natuurlijk mag je gaan, maar eerst zal mijn volk voor je neuriën.'

Hij hief zijn staf en daar begon het volkje te zoemen. Het was een wijsje dat als een warme golf over je heen spoelde, dat bedwelmde als meidoorngeur. Het maakte dat je alles vergat, dat je slaperig werd en willoos. Het was zoet en wonderbaarlijk. 'Wil je met me trouwen?' vroeg Mimander. 'Kom dan... kom!'

Bijna was Liefje in de eierschaal neergezonken, maar ze dacht nog net op tijd aan haar huis, haar ouders en haar broertje. En ze rukte zich los en holde naar de liftdeur.

'Wacht even op mijn toespraak,' riep de mol achter haar, maar Liefje sprong de lift in, drukte op de knop en steeg pijlsnel omhoog, pijlsnel omhoog naar haar eigen huis. Het duurde heel lang voor ze er was, maar eindelijk stopte de lift en ze stond voor haar eigen flatdeur en alles was weer gewoon. Liefje vertelde aan niemand wat er was gebeurd, maar ze kon het neurievolkje niet vergeten. Ze verlangde vreselijk naar het neuriën en de volgende morgen ging ze opnieuw heel vroeg in de lift. Ze kwam weer in het bos bij het neurievolk en weer vroeg Mimander haar ten huwelijk. Maar net op tijd rukte ze zich los en zo ging het iedere dag. Niemand merkte er iets van, behalve haar broertje.

Hij merkte dat zijn zusje iedere ochtend in alle vroegte de deur uit ging en hij werd nieuwsgierig. Op een morgen was hij zelf nog vroeger wakker dan zij en hij boog zich over haar heen. Ze neuriede in haar slaap en hij zag dat ze harige oortjes kreeg, als van een vosje. Haar haren hadden een groenige tint en hij besloot haar te volgen.

Toen Liefje die dag in de lift stond, was hij er ook. Hij stond in een schemerige hoek weggedoken en toen ze beneden in het bos aankwamen, glipte hij achter haar aan en verschool zich onder een struik.

Het ging allemaal weer net als alle vorige keren. Het neurievolkje begon te zingen en te zoemen en te neuriën en het was hartveroverend zoet en lief. Het was verwarrender en meeslepender dan ooit en toen koning Mimander vroeg: 'Wil je met me trouwen...' toen boog Liefje haar hoofd. Mimander trok haar naar zich toe, maar op dat moment klonk er een schril en hard en afschuwelijk geluid. Het was een krijsende en schelle en metaalscherpe muziek. Onmiddellijk werd alles zwart en het hele zonnige bos verdween en het hele neurievolkje verdween.

Daar stond Liefje in een donkere kille vochtige gang, maar haar broertje stond naast haar en zei: 'Gauw... hier is de liftdeur.'

Er kwam nog iemand uit de vochtige aarde. Het was de mol die klaaglijk riep: 'Mag ik u allen van harte welkom heten. Hoera.'

'Kom mee,' zei het broertje en hij sleurde Liefje de lift in. Ze zoefden naar boven terwijl Liefje hem van zich af duwde en snikkend riep: 'Jij! Jij hebt alles bedorven, jij met je transistorradiootje. Nare jongen!'

'Liefje,' zei hij. 'Liefje, luister eens. Bijna was je zelf een neuriewezentje geworden. Je zou daar voorgoed gebleven zijn als ik je niet had gered. Je oortjes werden al harig, je haartjes werden al groen. Liefje, je wilt toch bij ons blijven? Bij vader en moeder en mij? Bij ons thuis?'

Ze keek hem aan. 'Ja,' zei ze. Ze droogde haar tranen en lachte weer. Toen stopte de lift op de bovenste verdieping van de flat.

Ze gingen hun eigen deur binnen en waren thuis. Moeder sneed boterhammen voor het ontbijt en toen Liefje in de spiegel keek, zag ze dat haar oortjes weer gewoon waren. Maar het neurievolk was weer vijftig meter dieper weggezonken.

Moeder Watja, dochter Datja en de Boswezens

MET TEKENINGEN VAN JAN JUTTE

Moeder Watja woonde met haar dochter Datja midden in een ontzaglijk groot bos, een bos waar geen eind aan kwam.

En wat deden ze voor de kost, denk je? Ze maakten jam van bosbessen en bramen en ze maakten puree van paddenstoelen en die verkochten ze eenmaal per maand in de stad. En daar leefden ze van.

Ze waren heel gelukkig en tevreden, totdat er op een dag iets heel verschrikkelijks gebeurde. Precies op de zestiende verjaardag van Datja kwam er uit het bos een afschuwelijk monster en voerde haar weg.

Moeder Watja was radeloos, wrong haar handen en riep maar aldoor: 'O, mijn lieve Datja, o, mijn Datja.' Maar ze begreep wel dat ze met handenwringen niet veel verder kwam en daarom ging ze achter het monster aan om te kijken waar Datja gebleven was. En ze kwam er algauw achter dat het monster een Boswezen was en dat hij Datja had meegenomen naar het hol van de Boswezens. Dat waren gruwelijke wezens met nagels als klauwen en roofdiergezichten en groene ogen en grote bossen ruig haar. Ze hadden een koning, een Opperboswezen, die met Datja wilde trouwen. Dezelfde avond zou de bruiloft gevierd worden. Stel je voor, die lieve Datja.

Moeder Watja liep schreiend door het bos en wist niet wat ze moest beginnen. Een vriendelijke, jonge houthakker, die bezig was met houthakken, vroeg: 'Wat scheelt eraan, moedertje?'

'O, mijn dochtertje Datja is meegevoerd door de Boswezens. En nu moet ze vanavond bruiloft vieren met het Opperboswezen!'

De houthakker liet zijn bijl rusten en dacht een tijdlang diep na.

'Ik weet niet precies wat ik eraan moet doen, moeder,' zei hij, 'maar maak je geen zorgen, ik zal wel maken dat je dochtertje vanavond weer bij je thuis is.'

Moeder Watja ging naar huis, een beetje gerustgesteld en de houthakker dacht de hele dag na. 's Avonds wist hij nog niet wat hij doen moest en daarom liet hij het maar aan het toeval over. Hij

nam zijn bijl en hij nam een bos touw en ging op weg.

Toen hij bij het hol van de Boswezens kwam, hoorde hij aan het schorre gejuich dat de bruiloft al aan de gang was. Hij sloop door het struikgewas en ging achter een bosje zitten, zodat hij precies in het verlichte hol kon kijken.

In het midden was een ruwhouten tafel, daar zat het Opperboswezen. Hij was nog afschuwelijker om te zien dan de rest, hij had vuursproeiende groene ogen, een gezicht als van een beer en harige klauwen. Naast hem zat die arme Datja, heel bleek en angstig en om hen heen dansten de Boswezens een griezelige bosdans.

De houthakker kreeg zo'n medelijden met het arme meisje, dat hij ineens wist wat hem te doen stond. Hij maakte van het touw een heleboel kleinere touwen met lussen en maakte het geluid van een wolf na, zo goed en zo echt, dat alle Boswezens ineens van schrik stil werden. 'Ga eens gauw kijken waar de wolf zit,' zei het Opperboswezen.

En een van hen ging naar buiten, maar nauwelijks was hij uit het hol of, floep! daar had hij een lus om zijn kop en was gevangen. De houthakker bond hem stevig vast aan een boom en wachtte op de volgende. En stuk voor stuk stuurde het Opperboswezen al zijn Boswezens het hol uit, en stuk voor stuk werden ze met een lus om hun kop gevangen, net zolang tot het Opperboswezen nog maar alleen daar zat, naast de kleine Datja.

Toen ging de houthakker dapper naar binnen, nam zijn bijl en sloeg dat lelijke Opperboswezen met één slag de kop af. Hij nam Datja bij de hand en voerde haar mee naar moeder Watja, die dolgelukkig was.

En na een poosje trouwde de dappere houthakker met de kleine Datja en ze leefden heel lang en gelukkig met z'n drieën in het grote bos, dat bos waar geen eind aan komt.

De Kikvorst

MET TEKENINGEN VAN GERDA DENDOOVEN

Er was eens lang geleden een prinses. Ze was zo mooi dat de honden op straat hun adem inhielden wanneer ze voorbijkwam en zelfs de oude dominee die anders nooit oog had voor zulke dingen, poetste zijn brillenglazen op en zei: 'Deksels!'

Jammer genoeg wist de prinses zelf ook dat ze mooi was. Elke dag zat ze negen uur voor de spiegel en keek en keek en keek, totdat iedereen er misselijk van werd. En de tijd die overbleef, gebruikte ze om zich te verkleden. Telkens liet ze andere kleren maken en toch had ze al honderdzesendertig jurken en twaalfhonderdachtenzeventig hoeden en zoveel schoenen dat er een heel apart schoenenhuis bij het paleis gebouwd moest worden. Het was verschrikkelijk en haar ouders maakten zich ongerust.

'Dat kind is veel te ijdel,' zei de koning. 'We moeten er iets aan doen.'

'Ga jij nog eens met haar praten,' zuchtte de koningin.

De koning ging naar boven, naar de kamer van zijn dochter. Daar zat ze met allemaal groene hoedjes om zich heen, die ze bezig was te passen.

'Zit je nou alweer voor de spiegel?' vroeg de koning.

'Ik wil een mooi groen hoedje uitzoeken,' zei de prinses. 'Maar dit zijn allemaal lelijke kleuren groen. Het groen dat ik zoek is er niet bij.'

'Kind,' zei de koning, 'schei toch uit met hoeden passen. Ga liever pianospelen of leer je meetkunde. Doe in ieder geval iets nuttigs.'

'Geen tijd,' zei de prinses. 'Eerst hoedjes.'

Toen werd de koning heel boos. Hij greep de spiegel en gooide hem stuk tegen de grond. 'Daar!' riep hij. 'En nou ga je naar buiten, de vrije natuur in. Je wandelt het bos door en je komt pas over een uur thuis. Vooruit, d'r uit!'

Daar ging de mooie prinses met gebogen hoofd. Ze was erg geschrokken en durfde niet ongehoorzaam te wezen en daarom liep ze een uur lang door het bos, totdat ze bij een kleine verscholen vijver kwam.

'Ha,' riep de prinses. 'Water! Nu heb ik weer een spiegel.' En ze boog zich voorover om zichzelf in het water te bekijken, maar de kikkers in de vijver maakten zoveel beweging dat het oppervlak rimpelig was.

'Wat een boel kikkers,' zei de prinses. 'Allemaal groen. En wat een mooie kleur groen. Zo'n hoedje wil ik hebben.' En ze holde naar huis, naar het paleis, waar ze de stalknecht tegen het lijf liep.

'Ga dadelijk naar de vijver in het bos,' hijgde de prinses buiten adem. 'En vang daar alle kikkers. Ik zal intussen de hoedenmaker laten komen die een hoedje moet maken van de velletjes.'

De stalknecht nam een groot net en ging naar de vijver. Maar toen hij daar aankwam, hadden alle kikkers zich verstopt tussen de waterplanten. Er was er nog maar eentje. Het was de koning van de kikkers, het was de Kikvorst.

'Wat kom je doen?' vroeg de Kikvorst nors aan de stalknecht.

'Neemt u me niet kwalijk,' zei de stalknecht beleefd, terwijl hij zijn petje afnam, 'ik heb opdracht van de prinses om alle kikkers te vangen.'

'Zo. En wat wil de prinses met mijn kikkers?' vroeg de Kikvorst.

'Ze wil er met permissie een hoedje van laten maken,' zei de stalknecht.

'Werkelijk?' vroeg de Kikvorst. 'Welnu, jongeman, ze heeft het hoedje al. Het zit een beetje diep over haar oren, maar dat mag niet hinderen. Ga maar terug en doe haar de groeten van de Kikvorst. Goeiendag.'

Een beetje bang en een beetje onthutst ging de knecht terug naar het paleis. En daar vond hij de koninklijke familie in grote opwinding en droefheid bijeen. Er was iets met de prinses. Iets heel vreselijks. Haar lichaam was hetzelfde gebleven; ze had nog hetzelfde aardige figuurtje en dezelfde mooie handjes en voetjes, maar haar hoofd was een kikkerkop. Een grote groene kikkerkop, het was af-grijselijk om te zien.

'Dat komt door de Kikvorst, dat heeft de Kikvorst gedaan,' riep de stalknecht, maar niemand luisterde naar hem en hij ging terug naar de stallen, terwijl het hele hof in rep en roer was.

Ze haalden de dokter erbij en de hofadvocaat en een huidspe-cialist, maar die schudden alle drie hun hoofd en zeiden dat er he-lemaal niets aan te doen was. 'U zult er zich bij neer moeten leg-gen,' zeiden ze tot de koning.

'Mij neerleggen bij dat kikkerhoofd? Nooit!' tierde de koning.

'Misschien kunnen we haar een beetje mooier maken,' zei de koningin. 'Met een pruik en wat poeder kun je veel doen.'

Zes hofkappers werden erbij gehaald. Ze gaven de prin-ses een pruik op haar kale groene schedel. Ze maakten haar groene gezicht wit met poeder en begonnen haar mond rood te maken. Ze gebruikten er een hele lippen-stift voor, want zo'n kikkerbek is breed en toen ze klaar waren, hielden ze de prinses een spiegel voor.

Ze keek erin en gaf een gil van afschuw. Het was dan ook heel ontzettend lelijk. Ze leek op de allergekste clown van de wereld.

'Toch is het beter dan al dat groen,' zei de koningin troos-tend, maar de prinses rukte zich los en rende naar haar kamer-tje waar ze de verf van haar gezicht waste en de pruik van haar hoofd trok. Toen vluchtte ze door een achterdeur naar buiten.

'Wie was het die je gesproken hebt?' vroeg ze aan de stalknecht.

'De koning van de kikkers,' stamelde de stalknecht. 'Hij noemt zich de Kikvorst. Er zit nog een beetje verf op uw bek.'

De prinses keek hem treurig aan.

'Pardon, op uw mond,' zei de stalknecht met een kleur van ver-legenheid, maar ze was al weg. Ze ging naar het bos, boog zich over de vijver en riep: 'Kikvorst!' Maar er kwam geen antwoord. Alle kikkers hielden zich verscholen, ook hun koning.

'Maak mij alsjeblieft weer gewoon, lieve Kikvorst,' smeekte de prinses.

Geen antwoord.

'Maak me dan helemaal een kikker,' snikte de prinses. 'Liever een hele kikker dan een half meisje.'

Zo jammerde ze aan de rand van de vijver, maar er kwam geen enkel geluid en omdat de vijver zo stil was, kon ze zichzelf nu heel duidelijk zien: een grote, dikke, groene kikkerkop.

Zuchtend draaide ze zich om en liep verder. Ze wilde niet meer naar huis terug en ze liep net zolang tot ze in de stad kwam. Daar ging ze een bakkerswinkel binnen om een broodje te vragen, maar de bakker deinsde achteruit en de bakkersvrouw kwam met een mattenklopper om haar weg te jagen.

'Mag ik dan hier misschien dienstmeisje worden en het aller-vuilste werk doen?' vroeg de prinses.

'Dank je,' zei de bakkersvrouw. 'Geen kikkers in m'n keuken. Vort, weg!'

Overal werd het arme kikkerprinsesje weggejaagd en ze ging er steeds lelijker uitzien, omdat haar jurk vuil werd en scheurde. Eindelijk kwam ze in een heel ander land en daar ging ze naar het koninklijk paleis en vroeg aan de achterdeur of er niet een betrekking voor haar was. 'Ik wil alles doen,' zei ze. 'Misschien kan ik mest kruien of mag ik in een donker hoekje wollen kousen breien?'

'Kijk eens hier, kikkerjuffrouw,' zei de opperpersoneelschef, die haar te woord stond, 'we hebben hier geen mest en we dragen hier geen wollen kousen. Het spijt me wel, goeiendag.'

Bedroefd draaide de prinses zich om en wilde weggaan, maar toen riep de man haar terug en zei fluisterend: 'Wacht even, ik weet misschien iets voor je. De koningszoon die hier woont, is blind en hij moet de hele dag worden voorgelezen. Jij hebt een aardig stem-metje en hij kan je toch niet zien, dus kom mee, onder de douche en daarna voorlezen.'

En zo kwam de kikkerprinses op het paleis bij de blinde prins. Hij zat in een torenkamer vol sprookjesboeken, die ze allemaal achter elkaar moest voorlezen.

Ze deed het zo goed en haar stem was zo lief, dat de prins geen uur meer zonder haar kon. Ze moest bij hem aan tafel eten en 's nachts sliep ze in een kamertje vlak boven het zijne.

'Je bent zo aardig, jammer dat ik je niet zien kan,' zei de prins af en toe en dan zweeg de lelijke kikkerprinses.

Op een dag, toen ze aan het voorlezen was, kwam er van buiten een enorme herrie.

'Wat gebeurt daar?' zei de prins.

Ze boog zich uit het raam en zei: 'O, wat gek! Twee hofdames zijn aan het ruziemaken. Ze slaan elkaar om de oren en trekken elkaar aan de haren.'

'Wat jammer dat ik het niet zien kan,' riep de prins. Hij had tranen in zijn ogen van spijt en dat gebeurde hem niet vaak.

Toen kreeg het prinsesje zo'n medelijden met de prins dat ze ineens een idee kreeg en vroeg of ze twee dagen vrij mocht hebben.

'Twee dagen?' riep de prins. 'Moet ik twee dagen zonder je?'

'Ik zal nog beter voorlezen als ik terugkom,' zei de prinses.

Ze nam afscheid en ging op weg naar haar eigen land, waar ze de vijver in het bos opzocht.

'Kikvorst!' riep ze.

'Hier ben ik,' zei de Kikvorst. En jawel, daar zat hij boven op een groot blad. 'Je komt zeker vragen of ik je weer mooi maak?' vroeg hij.

'Nee nee,' zei de prinses haastig. 'Ik weet wel dat u dat niet zult doen. Ik kom voor de blinde prins in het land hiernaast. Kunt u maken dat hij weer kan zien?'

'Worrrk,' zei de Kikvorst. 'Ik zou het wel kunnen, maar heb je eraan gedacht dat het er dan voor jou niet best uitziet? Hij zal van je schrikken, meisje. Hij stuurt je de laan uit!'

'Dat heb ik zelf al bedacht,' zei de kikkerprinses, 'maar het kan me niet schelen.'

'Nou vooruit dan,' zei de Kikvorst. 'Ga maar terug. Ik zal zien wat ik kan doen.'

Dolgelukkig haastte de prinses zich terug naar het buurland. En toen ze bij het paleis kwam, stond er een lakei op de stoep die riep: 'Er is een wonder gebeurd. De prins kan zien!'

'Waar is hij?' vroeg de prinses.

'Hij loopt in de tuin,' zei de lakei. 'Hij kijkt naar alle mensen en dieren en bloemen en op dit moment staat hij te kijken naar de hofdames die weer ruzie hebben.'

'Mooi,' zei de prinses. Ze sloop de wenteltrap op naar boven, naar haar eigen kleine ronde kamertje en ze begon haar spulletjes bij elkaar te pakken in een geruite theedoek. Toen ze daarmee klaar was, wou ze even zacht de trap weer af om voorgoed te verdwijnen. Maar juist toen ze weg wou sluipen, kwam er een kamerheer die

zei: 'De prins wil u onmiddellijk zien.'

'O,' zei de prinses verward.

'Hij is in zijn kamer,' zei de kamerheer. 'Hij vraagt of u direct komt.'

'Jawel,' zei de prinses. Ze keek even om zich heen en vroeg zich af of ze toch nog niet kon vluchten. Maar er was geen mogelijkheid om stiekem weg te komen en daarom nam ze het gordijntje van haar raam en sloeg dat over haar hoofd en over haar gezicht. Zo ging ze de kamer van de prins binnen.

'Ben je daar eindelijk?' vroeg hij. 'Waarom heb je dat gordijn over je hoofd?'

'Dat heb ik altijd,' zei de prinses.

'Doe dat ding van je hoofd,' zei hij.

'Nee,' zei ze.

'Ik wil het,' zei de prins.

Toen begreep ze dat er niets anders op zat. Ze pakte een punt van het lapje en trok het van haar hoofd. Toen deed ze haar ogen dicht en zuchtte. Er gebeurde een hele tijd niets. Het was erg stil in de kamer. Eindelijk hoorde ze de prins opademen en hij zei: 'Zo had ik het me niet voorgesteld.'

'Nee, dat dacht ik wel,' zei de prinses treurig.

'Kijk me eens aan,' zei hij.

Ze hief haar gezichtje naar hem op en deed haar ogen open. Ze zag dat de prins haar stralend aankeek met een diepe bewondering.

'Je bent nog veel mooier dan ik dacht,' zei hij.

'Hou me niet voor de gek,' zei de prinses. 'Ik heb een kikkergezicht.'

'Vind je dat werkelijk?' zei de prins vrolijk. 'Kijk eens in dit spiegeltje.'

Ze pakte het spiegeltje van hem aan en keek. Tot haar grote verbazing zag ze haar eigen vroegere gezichtje terug. Het was weer even mooi, alleen veel liever. Ze begreep dat de Kikvorst dat gedaan had.

Nog dezelfde week trouwde ze met de prins en samen gingen ze naar haar vader en moeder die natuurlijk dolgelukkig waren. In alle twee de landen was het feest en er werd een concert gegeven met duizend trompetten. Maar de prins en de prinses waren er die

avond niet bij. Zij luisterden naar een veel mooier concert. Hand in
hand zaten ze bij de vijver in het bos en luisterden naar de kikkers.
'En dat was dan weer dat,' zei de Kikvorst.

De tweestaartige marmadot

MET TEKENINGEN VAN HARRIE GEELEN

Jan Biet had een groentewinkel. Iedere dag verkocht hij sla en radijzen en bloemkool en andijvie, maar hij had één klant, een meneer met een bontkraagje, die iedere morgen met zijn auto voor de winkel kwam en iedere morgen opnieuw vijfentwintig kilo knolletjes kocht. Die werden dan in zakken de auto in gedragen en foetsj, weg was hij weer.

Dat ging zo drie weken achter elkaar door en Jan Biet, de groenteboer, dacht: wat moet die meneer toch iedere dag met vijfentwintig kilo knolletjes? Al heeft hij vijfentwintig kinderen, dat is toch te veel? En eten die mensen iedere dag knolletjes?

Hij begreep er niets van en besloot om eens te gaan onderzoeken hoe het zat. Op een morgen, toen de meneer de knollen had ingeladen, ging Jan Biet stiekem achter op de auto zitten en reed mee. De auto reed de hele stad door en stopte voor een groot pakhuis. De meneer stapte uit, en bracht een voor een de zakken knollen naar binnen. Zachtjes sloop Jan Biet ook mee naar binnen zonder dat iemand het zag en keek om zich heen. En daar helemaal achter in het pakhuis... o, maar wat was dat voor een wonderlijk dier? Een heel groot beest. Een beest met twee staarten, een beest dat helemaal niet meer bestond. Jan Biet schrok er zo van, dat hij 'Tjonge jonge!' riep. De meneer draaide zich om en zei: 'Maar groenteboer, wat doet u hier?' 'Niets meneer,' zei Jan Biet. 'Ik wilde alleen maar eens kijken waar u toch al die knolletjes laat.'

'Och,' zuchtte de meneer. 'Wat jammer dat je het ontdekt hebt. Dit is mijn tweestaartige marmadot. Het is een voorhistorisch beest, heb je daar wel eens van gehoord? Het soort is allang uitgestorven, hij is de laatste.' En hij klopte de marmadot op de rug. Wat een groot beest. Zo groot als een olifant, met lang grijs haar en een bult en een spitse bek met hele grote tanden. En dan die twee staarten! 'Hij lust alleen maar knolletjes,' zei zijn baas. 'Maar lieve groenteman, vertel het nooit aan iemand, want dan doen ze hem in een dierentuin of zetten hem op voor een museum en dat wil ik niet.'

'Ik zal het niemand zeggen,' zei Jan Biet en ging naar huis. Maar het was zo moeilijk om zijn mond te houden. Hij was zo vol van die marmadot die hij gezien had. Hij vertelde het aan Jans, zijn vrouw. En de volgende dag wist de hele buurt het en iedereen was opgewonden. Ze trokken Jan Biet net zolang aan zijn jas tot hij had verteld waar die tweestaartige marmadot huisde. En toen gingen alle mensen in de buurt er met een sleperswagen naartoe.

Ze braken de deur van het pakhuis open en vonden het vreemde beest. 'Hij moet naar Artis,' zei de bakker. 'Nee, we verkopen hem aan een Dierenpark,' zei de kruidenier. Ze waren het er maar niet over eens wat ze met het dier zouden doen en daar stonden ze met de sleperswagen voor het pakhuis en hadden het beest nog niet eens ingeladen!

'Naar het circus!' schreeuwde de slager. 'Naar de dierentuin!' tierde de bakker. Ze kregen een vreselijke ruzie en daar opeens, daar kwam een auto aanrijden. De baas van de tweestaartige marmadot stond voor de deur, blies op een fluitje en daar kwam het beest uit het pakhuis hollen met een grote vaart. Iedereen stoof van schrik opzij. De marmadot ging boven op de auto zitten, de meneer gaf vol gas en langzaam reed de auto weg, iedereen verbluft achterlatend.

Daar stonden ze nu, met hun mond vol tanden. Ze konden met hun lege sleperskar naar huis toe keren, iets anders zat er niet op.

De meneer met de marmadot is nooit, nooit, nooit meer teruggezien, misschien is hij wel naar Tibet gereisd, wie weet. Maar Jan Biet was zijn klant kwijt en dat vond hij erg jammer. Vijfentwintig kilo knolletjes per dag, dat scheelt!

Het meisje dat haar naam kwijt was

MET TEKENINGEN VAN MARENNE WELTEN

Iedere zondag als Tom met zijn vader naar de kerk ging, kwamen ze langs een hoge muur. En in die muur was een deur. 'Wat is er achter die deur?' vroeg Tom. 'Maar jongen,' zei zijn vader. 'Er is helemaal geen deur in die muur.'

Toch zag Tom die deur heel duidelijk en op een keer, toen zijn vader een praatje maakte met de koster, liet hij zijn vaders hand los en ging door die deur.

Hij liep tastend door een lange donkere gang tot hij aan een volgende deur kwam. Toen hij die opende, stond hij in een kamer.

Aan tafel zat een meisje. En tegenover haar zat een grote haas. De haas zat daar met over elkaar geslagen benen en rookte een sigaret uit een lange sigaret- tenpijp. Ze speel- den een partijtje schaak.

'Goeiemorgen,' zei Tom.
'Goeiemorgen,' zei de haas.
'Neem een stoel en ga zitten.'

Tom ging zitten en keek het meisje aan. Ze had zulke treurige ogen en hij vroeg: 'Hoe heet je?'

Het meisje begon te huilen. Ze stond schreiend op en bedekte haar gezicht met de handen.

'Mispunt,' zei de haas. 'Waarom vroeg je dat nou?'

'Ik eh... ik wist niet dat ze zou gaan huilen,' zei Tom 'Ik vroeg toch gewoon haar naam.'

'Dat is het juist,' zei de haas. 'Ze is haar naam kwijt.'

En zolang ze haar naam kwijt is, moet ze hier blijven en schaakspelen tot in de eeuwigheid. We wachten tot ze zal worden opgebeld.' En de haas  wees met zijn sigarettenpijp naar een telefoontoestel in de hoek.

'Maar wie moet haar dan opbellen?' vroeg Tom.

'Dat weten we niet,' zei de haas. 'We hopen dat op een dag de telefoon zal gaan en dat iemand door de telefoon haar naam zal zeggen. Als dat zo is, dan is ze verlost.'

'Ik wil haar graag helpen...' stamelde Tom. 'Kan ik misschien...?'

'Jij hebt haar aan het huilen gebracht,' zei de haas korzelig. 'Nu huilt ze vijfendertig uur. Mispunt! Verdwijn!'

Tom verliet zwijgend de kamer, ging de lange gang weer door, deed de deur open en stond buiten in de stralende zon. Daar was zijn vader nog steeds met de koster in gesprek; hij had Tom niet eens gemist en ze gingen naar de kerk.

Maar Tom kon het meisje niet vergeten. Ik durf niet meer naar haar toe te gaan, dacht hij, maar ik moet haar naam te weten zien te komen. En dan moet ik haar opbellen. En ik moet haar naam noemen door de telefoon. Maar hoe kan ik ooit haar naam vinden? Misschien heet ze Marietje of Geertruida of Ramona... hoe kom ik dat ooit te weten! Al denkend liep hij door de tuin achter zijn huis en hij zag naast de schuur een klim-  roos, een allerprachtigste rode roos. Er was een houten kaartje bij en daarop stond: Carmelita. Dat was de naam van de roos. Misschien heet ze Car- melita, dacht Tom. Ze is net een roos. Ik zal haar opbellen en ik zal haar Carmelita noemen. Hij liep naar binnen in de gang waar de telefoon stond. En daar, vlak bij de kapstok op een krukje, zat de haas. Hij zat daar met over elkaar geslagen benen en rookte zijn sigaret uit het pijpje. De haas keek Tom peinzend aan en zei: 'Het nummer is zevenmaal nul.'

'O...' zei Tom verbluft en hij begon nullen te draaien. Maar toen hij bij de derde nul was, zei de haas luchtigjes langs zijn neus weg: '...maar Carmelita heet ze niet.'

'O,' zei Tom weer en legde de hoorn op de haak. Hij borg zijn hoofd in zijn handen en zuchtte. 'Hoe heet ze dan?' vroeg hij. Maar toen hij opkeek, was de haas weg.

Treurig liep hij het huis uit en begon te dwalen door de stad. De ene straat in en de andere uit, totdat hij weer bij de kerk kwam. En daarachter was het vergeten kerkhof waar de klimop groeide over de kruisen en stenen. Hij liep langs de vele oude graven en zag een kleine steen waarop stond: Judith. Elf jaar.

Misschien heet ze Judith, dacht Tom. Ze is net zo treurig en bleek als de stenen op het kerkhof. Ze moet Judith heten. Hij wilde het hek uit lopen om thuis te gaan opbellen, maar toen zag hij op een van de zerken de haas zitten. Met gekruiste benen zat de haas daar en keek hem aan. 'Judith heet ze niet,' zei hij nors.

Tom ging naar huis en die nacht kon hij niet slapen. Hij lag aldoor meisjesnamen op te noemen: Amanda en Rozelinda en Janneke en Marjolein en Liesbeth. En Esther en Godelieve en Mientje.

De maan scheen door zijn venster; hij kon het in bed niet meer uithouden en ging naar beneden, naar de zitkamer. Het was donker, maar de maan scheen op zijn moeders oude wortelnoten bureautje en het leek hem of hij twee hazenoren zag verdwijnen achter het meubeltje. Tom deed een van de laatste laatjes open en zag een opschrijfboekje van zijn moeder. Het was heel oud, het was van jaren geleden en hij bladerde het door. Daar stond: Dominee komt koffiedrinken half twaalf. En een bladzijde verder: Tuinman betalen f 2,75. Allerlei dingen had zijn moeder daarin opgeschreven om ze niet te vergeten. Maar dat was lang geleden. Tom wilde het boekje weer terugleggen toen zijn oog viel op een haastig neergekrabbeld regeltje. Er stond: Stroop laten halen door Tom en Tijntje.

En plotseling zag hij het heel duidelijk voor zich. Hij was nog klein en hij moest een boodschap doen met zijn buurmeisje Tijntje. Hij wist nog dat ze samen door de steeg liepen. Hij wist nog dat ze samen het kleine kruidenierswinkeltje binnengingen waar het rimpelige witharige vrouwtje achter de toonbank stond... en verder wist hij zich niets meer te herinneren. Alleen was hij nu heel gelukkig en hij liep naar de gang waar het telefoontoestel stond. Hij maakte geen licht aan want het maanlicht was voldoende. Zevenmaal draaide Tom het cijfer nul. 'Hallo,' zei hij zacht. 'Ben je daar, Tijntje?'

En een stem door de telefoon zei: 'Ik ben het, Tom.'

'Zal ik naar je toe komen?' vroeg Tom.

'Ik ben er al,' zei de stem. 'Kijk maar naast je.' Tom keek op en nu zat op het krukje het meisje dat haar naam was kwijt geweest, zijn buurmeisje Tijntje.

Ze lachte en gaf hem een kus. 'Dank je,' zei ze. 'Weet je nog het oude vrouwtje van de kruidenierswinkel? Ze was een heks en ze heeft me opgesloten en mijn naam afgepakt. En jij hebt me mijn naam teruggegeven.'

Ze gingen samen naar buiten. De maan verbleekte en de oostelijke hemel werd bloedrood. De zon ging op en uit de huizen kwamen de mensen.

'Daar is dat meisje...' riepen ze. 'Het meisje dat zo lang is weg geweest. Hoe heet je ook weer, meisje?'

'Ik heet Tijntje,' zei ze. Ze legde haar arm over Toms schouder en samen gingen ze langs de muur bij de kerk. Ze zagen de deur en voor de deur stond de haas. Hij nam de sigarettenpijp uit zijn bek, wuifde hen hartelijk toe en ging door de deur naar binnen. Tom wilde hem achternagaan, maar Tijntje zei: 'Niet doen, Tom, er is immers geen deur?' En ze had gelijk.

De prins wilde niet leren

MET EEN TEKENING VAN FIEP WESTENDORP

Er was eens een prinsje dat niet wilde leren. Dat is erg voor een prinsje! Hij heette Hajonides en hij wilde wel knikkeren, tollen, vlinders vangen en belletje trekken, maar leren wou hij niet. Iedereen was wanhopig, want wat moet je met een domme prins? De knapste schoolmeesters van het land hadden al geprobeerd om prins Hajonides les te geven, maar zodra ze tegen hem gingen praten viel hij in slaap en was niet meer wakker te krijgen.

Eindelijk zei de koning, zijn vader: 'Het moet nu maar eens uit zijn! We zullen de grote tovenaar Merijn laten komen. Die is zo knap en zo machtig: hij zal onze Hajonides wel lezen en rekenen kunnen bijbrengen.' En daar kwam de grote tovenaar Merijn. Hij had een punthoed op, vol sterren, hij had een toverstaf en keek bars.

'Zo, jongeman,' zei hij tegen Hajonides, 'ga daar maar eens zitten en schrijf de tafel van zes op.' De kleine Hajonides nam een stompje potlood en begon erbarmelijk te knoeien in een schrift.

'Je moet het met inkt doen,' zei de tovenaar Merijn. 'Hier is een flesje inkt, hier is een pen.'

Hajonides doopte de pen in, zuchtte diep, boog zich over zijn schrift en maakte een hele grote vlek.

'Probeer het nog maar eens,' zei Merijn. 'Geduldig! Geduldig! niet zo vlug!' Hajonides probeerde het nog eens, maar er kwamen alleen maar inktvlekken. En Merijn hield vol: 'Schrijven,' riep hij. 'Rekenen!'

Toen werd het prinsje zo verschrikkelijk ongeduldig en boos, dat hij de inktpot nam en die in het gezicht van de grote tovenaar Merijn gooide. Nu, dat begrijp je! De tovenaar droop van inkt. Het zat op zijn rode jas, op zijn blauwe sterrenhoed, het droop langs zijn schoenen!

En boos dat hij was! 'Dat zal ik je betaald zetten,' riep hij, 'wacht maar.' Hij draaide zich driemaal om en was verdwenen.

Het prinsje Hajonides liep hard naar buiten om bij de vijver te gaan spelen. En toen zag hij dat al het water in de vijver veranderd was in inkt. Hij holde naar binnen en daar kwam de hofdame al aan om te vertellen dat het water in de kraan veranderd was in inkt. Al het water in en om het paleis was inkt geworden! Nu konden ze niet meer drinken. En hun handen niet meer wassen.

'Dan drinken we maar wijn,' zei de koning. 'En dan wassen we ons maar in azijn.' Maar ja, altijd wijn drinken, dat viel op den duur niet mee. En het hele hof ging zo zuur ruiken van dat wassen in azijn. Het ging zo niet langer. Bovendien vergiste men zich voortdurend en draaide de kraan open, dan kwam er inkt uit en alles

werd vreselijk smerig. O, wat een toestand. 'Je zult naar de tovenaar moeten,' zei de koning. 'Je zult excuus moeten vragen.'

Dat ging Hajonides toen maar doen. Hij klom de berg op, waar Merijn woonde. Het paleis van de tovenaar was van roze marmer en het schitterde in de zon.

'Ik ben het, Hajonides,' zei het prinsje, en daar kwam de tovenaar al aan.

'Ik begrijp waarvoor je komt,' bulderde hij. 'Hier heb je een flesje inkt, hier heb je een pen. Maak de tafel van zes.'

Hajonides ging aan het schrijven en rekenen en hij was zo bang, dat hij het ineens allemaal goed deed, zonder inktvlekken. 'Nu wil ik nog honderd regels van je hebben,' zei de tovenaar. 'Honderd regels: Ik zal nooit meer met inkt gooien, en zeker niet op tovenaars!'

Hajonides schreef die honderd regels, toen mocht hij gaan. Toen hij thuis in het paleis kwam, was alles weer goed. Er stroomde weer water uit de kranen en de vijvers waren niet meer met inkt gevuld.

'Zul je voortaan je best doen?' zei de koning.

'Altijd,' beloofde het prinsje en hij deed voortaan goed zijn best. Hij heeft het tot nu toe volgehouden en dat is een lange tijd, want dit gebeurde allemaal heel lang geleden.

Waarom koekoek een indringer is

MET TEKENINGEN VAN MANCE POST

Heel lang geleden was er een tijd dat er nog maar weinig koekoeken waren. En daarvoor, nog veel en veel langer geleden, was er een tijd dat er nog maar twee koekoeken waren, moeder koekoek en vader koekoek. Dat waren de allereerste koekoeken, begrijp je wel en ze moesten, net als andere vogels, zorgen voor eten en zorgen voor een nest. En ze wilden ook graag kleine koekoekjes hebben en daarom gingen ze naar andere vogels, die al druk bezig waren en vroegen: 'Wat doen jullie daar?'

'Zie je dat niet? Wij bouwen een nest,' zeiden de andere vogels. Daar was de rietvogel bezig met een prachtig nest tussen het riet. En daar was de kwikstaart bezig en de merel en de mees, alle vogels vlogen druk rond met sprieten en takjes en pluisjes en bouwden allemaal aan hun nest.

'Hoe doen jullie dat,' zei moeder koekoek. 'Ik wou 't ook zo graag. Ik kan toch mijn eitjes niet op de grond leggen?'

'Probeer het zelf maar,' snauwde de kwikstaart, 'ga in een boom zitten en laat je man takjes halen en bouw een nest, zoals wij allemaal.'

'Willen jullie me niet een beetje helpen,' vroeg de koekoeksmoeder.

'Nee hoor,' schreeuwden ze allemaal, 'je moet maar zien wat je kunt.'

Toen gingen vader en moeder koekoek takjes verzamelen en stukjes mos en dons, en van alles en nog wat, en ze gingen in een boom tussen twee takken een nest bouwen.

Maar het werd helemaal geen nest. Het werd een slordige hoop rommel. Het was een lor van een nest en toen de wind kwam blies hij fffft het hele nest de lucht in.

'Ons nest, ons nest,' huilde moeder koekoek. De andere vogels keken even op van hun werk en begonnen te lachen, te lachen... 'Die koekoek, die koekoek,' riepen ze. 'Kan nog geeneens een nest bouwen, wat een stommerd.' Die arme vader en moeder koekoek bleven radeloos zitten in hun boom. En toen moeder koekoek haar eitjes wou leggen, hadden ze geen nest. En toen... Toen gingen ze stiekem naar het nest van de kwikstaart en legde daar één eitje bij de kwikstaarteitjes. En ook één eitje in het nest van de rietvogel, en ook een eitje in het nest van de andere vogels. En toen ging ze met vader koekoek op reis, de bossen in en zei: 'Wel, wij hebben geen zorgen over onze kinderen. Wij gaan gezellig koekoek roepen, wat jij?' 'O zo,' zei vader koekoek en samen hadden ze veel plezier.

Maar toen de kleine kwikstaartjes geboren werden, was er één vogeltje bij dat groter en dikker was. Het was een koekoekje. Het groeide en groeide en werd zo dik en zo sterk, dat hij al de kleine kwikstaartjes het nest uit drong. En moeder kwikstaart maar eten brengen aan dat vraatzuchtige koekoeksjong, want ze had het niet eens in de gaten dat het haar eigen kind niet was. En zo ging het ook bij de familie Rietvogel en bij vele andere families.

En sindsdien is het altijd zo gebleven, de koekoeksmoeder legt haar eitjes een voor een in vreemde nesten. Wat een indringerige manier, vind je niet? Ja, maar 't was toch eigenlijk de schuld van die andere vogels. Die hebben de eerste keer niet willen helpen. En die hebben hard gelachen, toen de koekoek het niet kon. En dat is vals. Nu zal er wel niets meer aan te veranderen zijn, die gewoonte duurt al zo lang.

Goed, maar dit was dus het verhaal van de koekoek, of het verhaal waar is, durf ik niet te zeggen. Ik heb het gehoord van iemand die het ook maar gehoord heeft, weet je. En ik ken niemand die het van de koekoeken zelf gehoord heeft.

De beeldschone Marlita

MET TEKENINGEN VAN WOUTER TULP

Op een groot kasteel in het Woefgebergte woonde een schatrijke markies met zijn markiezin en een beeldschone dochter Marlita. Ze hadden het heerlijk, want ze aten iedere morgen oesters aan het ontbijt, ze zaten aan een tafel met leeuwenpoten, gedekt met prachtig linnen en gouden vorken en lepels.

Maar op zekere dag kwam er een sprinkhanenplaag. De sprinkhanen aten de hele oogst op van de omliggende landerijen en bovendien verloor de markies op diezelfde dag al zijn geld.

Dat was me wat! Daar zaten ze nu en de markies moest zijn kasteel verkopen en al het linnen en al die gouden vorken en lepels. Het was helemaal uit met hun rijkdom en ze moesten met hun drieën op een heel armelijke zolderetage gaan wonen. De beeldschone Marlita moest het brood gaan verdienen voor hen allemaal en ze werd dienster in een cafetaria.

In plaats van dure zijden en fluwelen japonnen met kant en juwelen had ze nu een simpel zwart jurkje aan met een schortje en een wit mutsje. En toch was ze nog altijd beeldschoon.

Dag in dag uit draafde Marlita daar in de cafetaria met grote bladen vol runderlapjes en coca-cola. De hele dag moest ze vragen: 'Een mokkapunt, dame, of liever amandelgebak?' Ze veegde de erwtensoepvlekken van de tafeltjes met een servet.

Het is niet makkelijk om hele dagen te bedienen in een cafetaria, maar, dat moet gezegd worden: die Marlita, die vroeger toch een schatrijk meisje was geweest, bleef ook onder deze omstandigheden altijd vriendelijk en voorkomend. Ze snauwde nooit tegen de mensen al waren ze nog zo lastig, ze was nooit kattig maar altijd beleefd en aardig en ze had zulke allerliefste manieren, dat iedereen graag tegenover haar aan de toonbank zat te eten.

Nu kwam er sinds weken altijd een oude dame aan de toonbank zitten. Ze had een wonderlijk verfrommeld hoedje op, ze had een versleten mantel aan en zag er helemaal niet opvallend uit. Die dame bestelde iedere dag weer erwtensoep en iedere dag zette

Marlita de erwtensoep voor haar neer met een gracieus gebaar en een vriendelijk: 'Alstublieft mevrouw.' En later vergat ze nooit te zeggen: 'Heeft het u goed gesmaakt?'

Nu moet je weten dat die oude dame met het verfrommelde hoedje een fee was, een echte fee uit een toversprookje. Ze had zich vermomd als een armelijk uitziende oude dame, en ze kwam in die cafetaria erwtensoep eten, alleen maar om eens te zien hoe die schatrijke Marlita zich als arm meisje gedragen zou. En toen ze dat drie weken had volgehouden en nog steeds nooit een onvriendelijk woord had gehoord, zei ze op zekere dag tot Marlita: 'Hier mijn kind, ik geef je dit geschenk, maak het niet eerder dan vanavond in je kamertje open.'

En ze gaf Marlita een doodgewone walnoot.

Marlita pakte het cadeautje heel verbaasd aan. Een walnoot! Wat een vreemd geschenk. Maar ze bedankte de dame vriendelijk en toen ze 's avonds thuiskwam en alleen in haar kamertje was, kraakte ze de walnoot tussen de deur. En wat kwam eruit, denk je? Iets wat nog nooit uit een walnoot was gekomen: een vlinder. Een kleine gele vlinder, die fladderde en langzaam het raam uit vloog. Daar moet ik achteraan, dacht Marlita. Ze stapte het raam uit, op het platje en rende het vlindertje na, dat fladderde van het ene plat naar het andere, tussen schoorstenen en regenpijpen. Totdat het beestje eindelijk ging zitten en Marlita het hijgend wilde pakken.

Maar wat was dat. Wat lag daar vlak bij de regenpijp. Iets glinsterends, iets schitterends, een halssnoer! Het was een prachtig snoer van diamanten en saffieren en robijnen! Er was een briefje aan vastgemaakt, waarop stond: Voor de beeldschone Marlita van haar beschermfee.

Och, wat een vreugde.

Marlita bracht het snoer bij haar vader, de markies. Het werd verkocht, en ze kregen er zoveel geld voor, dat ze het grote kasteel in het Woefgebergte weer opnieuw konden kopen.

Met z'n drieën gingen ze er weer gezellig wonen, maar omdat het huis zo vreselijk groot was, lieten ze nog veertien gezinnen bij hen in het kasteel wonen. En dat was erg nobel, want je weet hoe groot de woningnood is.

Marlita trouwde met een graaf en kreeg beeldschone kinderen. En aan die kinderen vertelde zij het verhaal hoe zij als dienster in een cafetaria gewerkt had en erwtensoepvlekken met haar servet had opgeveegd.

De miesmuizers

MET TEKENINGEN VAN FIEP WESTENDORP

De schillenman ging langs alle deuren met zijn schillenkar en z'n paard. Hij was opgewekt en zong een liedje:

Daar ben ik met mijn wagen,
daar ben ik met mijn paard,
mevrouw, hier is de schillenman,
hebt u nog iets bewaard?
Aardappelschillen,
perenschillen
of een stuk tomaat?
Geef het aan de schillenman
en gooi het niet op straat.
Aardappelschillen, perenschillen,
of een ouwe korst.
Geef het aan de schillenman,
dan wordt het niet vermorst.

'Hé,' zei een mevrouw aan een van de deuren, 'wat zingt u toch weer fijn!
    Ik wou dat mijn man ook eens een liedje zong, maar nee!'
    'Zingt uw man nooit?' vroeg de schillenman.
    'Nooit,' zei de mevrouw. 'Zal ik u eens wat vertellen?' Ze trok de schillenman naar zich toe en fluisterde in zijn oor: 'Mijn man is een miesmuizer.'
    'Een wat?' vroeg de schillenman.
    'Ssst,' zei ze. 'Laat niemand het horen. Hij is een miesmuizer!'
    'Wat is een miesmuizer?' vroeg hij.
    'Weet u niet wat miesmuizers zijn? Miesmuizers zijn ontevreden mensen die altijd klagen en mopperen en zeuren en jengelen en drenzen en brommen en vloeken en jammeren.'
    'Zo,' zei de schillenman. 'En zijn er veel van die miesmuizers in de stad?'

'Veel?' zei de mevrouw. 'Wat heet veel? Duizenden, tienduizenden, luister maar eens goed.'

De schillenman luisterde goed. En wat hoorde hij om zich heen? Het klagen en brommen van de miesmuizers. Grote miesmuizers en kleine miesmuizers. Vader-miesmuizers, moeder-miesmuizers en kindermiesmuizers. Gejammer en gedrens. Gezeur en gejengel. Ja, wie goed luistert, hoort de miesmuizers. Ze willen:

niet naar school,
niet naar kantoor,
een ander leven,
meer snipperdagen,
elke week naar de Rivièra,
geen andijvie,
weer een nieuwe auto

en nog honderd dingen niet en honderd dingen wel.

'Tjemig,' zei de schillenman toen hij dat hoorde, 'wat ben ik blij dat ik geen miesmuizer ben. En nu is mijn wagen vol en ik ga naar huis.'

Maar juist toen de schillenman zijn wagen keerde om naar huis te gaan, kwam er uit een steegje een heel vreemd dametje naar hem toe. Een heel dun dametje was het. En ze zei: 'Schillenman, hebt u misschien een fluitje gevonden tussen de schillen?'

'Een fluitje?' vroeg de schillenman. 'Hebt u dat per ongeluk met de schillen weggegooid? Wat dom!'

''t Geeft niet zo erg,' zei het dunne dametje. ''t Was maar een fluitje van een cent.'

'Evengoed jammer,' zei de schillenman.

'Mocht u 't vinden,' zei het dametje, 'blaas er dan vooral niét op.'

'Hoezo dame?' vroeg hij.

'Nou, dat zou wel eens gevaarlijk kunnen wezen,' zei het dunne dametje. En hoeps, weg was ze, het steegje weer in.

'Hé, dametje!' riep de schillenman nog, maar ze was weg en bleef weg.

Nadenkend stond hij bij zijn kar en graaide tussen de aardappelschillen. En warempel, daar vond hij het fluitje. Een heel gewoon fluitje van een cent. En zo nieuwsgierig was die schillenman, zo nieuwsgierig... hij kon het niet laten, hij móést er even op blazen. En toen hij erop blies, kwam er een klein gek wijsje uit dat fluitje. En meteen begon er iets te gebeuren. Overal gingen de deuren open en er kwamen mensen naar buiten. Ze kwamen tegen hun zin naar buiten, ze wilden helemaal niet, ze móésten.

En toen de schillenman met zijn paard en wagen de stad uit ging, volgde hem een lange sliert mensen. Het waren de miesmuizers. Alle miesmuizers moesten mee. Vreselijk, wat stribbelden ze tegen, ze schreeuwden moord en brand, ze wilden helemaal niet mee en ze riepen er een agent bij.

'Agent, we worden meegenomen,' riepen de miesmuizers. 'We zitten vast!'

De agent keek eens goed en zei toen: 'U zit helemaal niet vast.'

'Jawel agent, we zitten vast aan een onzichtbaar touw.'

'Ja hoor eens,' zei de agent geprikkeld, 'dat is nou maar onzin. De wet erkent geen onzichtbare touwen.'

Natuurlijk bleven er in het stadje een heleboel mensen achter. Iedereen die geen miesmuizer was, bleef achter. En al die achtergebleven mensen en kinderen keken sprakeloos van verbazing toe, hoe al de miesmuizers wegtrokken. Ze begrepen er niets van.

'Daar gaan alle miesmuizers,' zeiden ze. 'Waarom? Hoezo? Wie z'n schuld is dat?' Een paar kinderen zeiden: 'Misschien weet het dunne dametje er meer van.' En ze riepen: 'Dun dametje, dun dametje!'

'Hier ben ik.' En daar stond het dunne dametje.

'De miesmuizers zijn weg,' riep iedereen.

'Wel wel,' zei het dunne dametje hoofdschuddend. 'En ik heb nog zo tegen de schillenman gezegd dat hij niet op dat fluitje mocht blazen. Nu heeft hij het toch gedaan.'

'Wat zal er nu met de miesmuizers gebeuren?' vroegen de mensen.

'Tsja,' zei het dunne dametje, 'die gaan mee met de schillenman naar de schillenschuit. Daar moeten ze voortaan blijven en ze krijgen niets anders dan schillen.'

Verschrikt en verslagen keken de mensen elkaar aan. 'Da's erg,' zeiden ze. Maar sommige kinderen riepen: 'Erg? Juist fijn! We zijn de miesmuizers kwijt. Wat zullen we het gezellig hebben.'

'Natuurlijk,' riepen de anderen. 'Geen geklaag en gezeur meer.' Ze vormden een grote kring om de muziektent en zongen dat de stukken eraf vlogen.

Intussen zaten de miesmuizers op de schillenschuit. Ze vonden het daar ontzettend akelig.

'Wat moeten we eten?' vroegen ze aan de schillenman.

'Schillen,' zei hij. 'Wat anders?'

'We willen terug,' riepen ze.

'Ik hou jullie niet tegen,' zei de schillenman. ''k Heb jullie liever niet dan wel. Ga maar.'

Toen probeerden de miesmuizers van de schuit weg te lopen, maar het ging niet. Ze zaten aan een onzichtbaar koord vast aan de schuit. En dus bleven ze daar en aten schillen. Aardappelschillen, perenschillen en de buitenste bladeren van de sla. En die dan nog verflenst. En loof van radijsjes aten ze en soms per ongeluk een dop van een tube toe.

'Wat hadden we het thuis toch goed,' zei een oude heer. 'Karbonaadjes met jus!'

'En eitjes en frieten,' zei een jongen.

'En een bankstel om in te zitten,' zuchtte een mevrouw.

'En speelgoed en stripverhalen...' huilden de kleine miesmuizertjes.

'Ik ga naar de stad,' zei de schillenman, 'tot vanavond dan.'

'Wat? Gaat u naar de stad? O, mogen we alsjeblieft mee?'

'Je mag best mee,' zei de schillenman. 'Probeer het maar.'

De miesmuizers zagen hem wegrijden met z'n paard en wagen, maar ze konden niet van de schuit wegkomen. Treurig bleven ze achter. En zo ging de schillenman elke dag naar de stad om nieuwe schillen te halen en dat was nodig want de miesmuizers aten veel.

En als hij dan in de stad kwam, stonden er een heleboel mensen op hem te wachten. Er waren vrouwen die riepen: 'Schillenman, hoe gaat het met mijn man? Hoe heeft hij het daar?'

En er waren mannen die riepen: 'Hoe gaat het met mijn vrouw?' Sommigen vroegen angstig: 'Hoe maakt mijn zoontje het daar?'

'Het gaat prima,' zei de schillenman. 'Ze eten lekker veel schillen vol vitaminen.'

'Moeten ze daar voorgoed blijven?' vroegen de mensen.

'Ik kan ze niet loskrijgen,' zei de schillenman. 'Ze zitten vast aan een onzichtbaar touw. Ik denk een elektronisch touw.'

'Maar moeten ze dan hun hele leven op die vieze schuit blijven?'

'Hé hé, mijn schuit is niet vies,' zei de schillenman.

Maar de mensen in het stadje waren ongerust en ze keken de schillenman boos aan.

'We willen onze miesmuizers terug!' riepen ze.

'Lieve beste mensen,' zei de schillenman ongelukkig. 'Ik kan jullie niet helpen, heus niet. Vraag het liever aan het dunne dametje.'

'Dun dametje! Dun dametje!' riep iedereen.

Daar stond het dunne dametje en zei: 'Wablief?'

'Deze mensen willen hun miesmuizers weerom,' zei de schillenman.

'Hoor eens,' zei het dametje, 'weet je nog wel, schillenman, dat ik je gewaarschuwd heb? Ik heb nog zo gezegd: "blaas niet op dat fluitje."'

'Jawel, dun dametje,' zei de schillenman verlegen.

'En je hebt het toch gedaan.'

'Helaas dun dametje,' zei de schillenman bevend, 'ik heb het toch gedaan.'

'We willen onze miesmuizers terug,' riepen de mensen. 'Dadelijk!'

'Wat dom van jullie,' zei het dunne dametje. ''t Is nu toch veel rustiger en prettiger in de stad nu al die zeurpieten weg zijn.'

'Dat wel,' zei een mevrouw, 'maar al was mijn man dan een miesmuizer, ik mis hem toch.'

'En ik mis mijn kinderen,' riep een moeder. 'Ook al zijn het miesmuizers.'

'Dan moeten jullie 't zelf maar weten,' zei het dunne dametje. 'Schillenman, heb je 't fluitje van een cent nog?'

De schillenman zocht in z'n broekzak en iedereen hield de adem in.

'Nee,' zei hij en alle mensen begonnen te schreien.

'Misschien in je portemonnee,' zei het dunne dametje.

'O ja,' zei de schillenman en hij haalde het fluitje tevoorschijn.

'Ga naar je schuit,' zei het dunne dametje, 'en blaas erop. Maar hou dan je vinger op het middelste gaatje van 't fluitje. Dan komt er een ander wijsje uit en dat zou wel eens kunnen helpen. Vort naar de schuit.'

De schillenman sprong op zijn wagen en liet zijn paard galopperen.

'Nu wachten we maar af,' zei het dunne dametje en de mensen om haar heen zeiden: 'O, als het maar lukt. O, als ze nu maar terugkomen. Onze lieve miesmuizers. Jantje, ga eens op de toren staan en kijk eens of ze er al aankomen.'

Jantje klom op de toren en keek uit.

'Zie je al iets komen, Jantje?'

'Nee, ik zie niks,' riep Jantje.

'En hoor je nog niets ook?'

'Wacht eens... wees eens even stil...' riep Jantje. 'Ik hoor iets. Ik hoor een fluitje. En nu zie ik een hele drom mensen op de weg. Ze komen eraan...'

'Hoera, hoera,' riepen de mensen, 'daar komen ze... daar zijn ze.'

En jawel hoor, daar kwam de lange stoet miesmuizers de stad binnen. Wat zagen ze er vreselijk verfomfaaid uit. Als je zo lang tussen de schillen hebt gezeten, word je er niet netter op. Maar ze waren zo blij en zo jolig! Niet te herkennen... het waren echt geen miesmuizers meer hoor!

De mannen omhelsden hun vrouwen en de moeders omhelsden hun kinderen, al die magere miesmuizerskinderen die dadelijk een ijsje kregen én een stripverhaal.

Er werd een reusachtig feest gevierd met bendes lekkere dingen en muziek en vlaggen en slingers en vuurwerk en het dunne dametje stond op haar hoofd.

Eindelijk zei iemand: 'Zeg, we moeten de schillenman nog bedanken.'

'Ik?' zei de schillenman, 'ik had er niks mee te maken. Ik haal morgen gewoon de schillen weer op.'

Toen dansten ze allemaal verder en het paard kreeg veertien klontjes.

Wie maakt Lindeloesje beter?

MET TEKENINGEN VAN CARLL CNEUT

Lindeloesje was de dochter van de Boskoning, zij was dus een bos-prinsesje en och, wat een lief prinsesje was ze. Ze woonde met haar vader in een marmeren paleis midden in het bos en alle dieren waren dol op haar. Iedere dag stonden ze allemaal voor het paleis, de herten en hazen en bosmuizen, de vossen, de wolven, de dassen en de eekhoorns, en Lindeloesje praatte met allemaal, streelde hen en liet ze van alles vertellen. Maar op een morgen, toen de dieren daar voor de grote marmeren stoep stonden te wachten... toen kwam Lindeloesje niet naar buiten. Er kwam alleen een bediende van de Boskoning. 'Hare Koninklijke Hoogheid, de prinses, is ziek,' zei hij. 'Zij kan niet buiten komen en de dieren worden verzocht naar hun holen terug te keren.'

Alle dieren waren treurig en verslagen. Lindeloesje ziek? Dat was verschrikkelijk. Ze gingen nog niet direct naar huis, maar bleven kijken naar een rijtuig, getrokken door zes witte herten, dat juist aankwam. Uit het rijtuig stapten drie knappe tovenaars met grote punthoeden op en lange baarden. Zij kwamen naar het prinsesje kijken, ze waren de dokters van het hof.

'Wat zou Lindeloesje voor een ziekte hebben,' fluisterden de dieren voor de stoep. 'Wij zullen nog even wachten of we niets te horen krijgen.' En werkelijk, na een halfuur kwam een van de tovenaars naar buiten en sprak: 'Onze prinses Lindeloesje moet slapen, dan zal ze genezen, maar zij kan niet slapen. Wij zoeken iemand die een slaapliedje zingt. Diegene die het prinsesje in slaap kan zingen, zal aan het hof mogen blijven wonen!'

Nu, dat werd een gedrang voor het paleis. Er kwam een wolf aanhollen, maar hij werd direct teruggestuurd, want wolven huilen, en kunnen beslist geen mooie slaapliedjes zingen. Een mol kwam ook al aan, maar wie heeft ooit van een mol gehoord die kan zingen.

'Terug, mol,' zei de tovenaar. Alle hazen en herten en eekhoorns en vossen moesten terug. Het waren nu de vogels die naar voren kwamen. De nachtegaal en de leeuwerik werden uitgekozen, zij mochten mee naar binnen.

'Ik kan ook een liedje zingen,' klonk opeens een klein stemmetje.

'Wie ben jij dan,' vroeg de tovenaar, 'ik zie je niet, kom eens naar voren.' Iedereen keek om en wilde weten, wie daar geroepen had, maar je zag helemaal niets.

'Ik ben het,' zei het stemmetje weer, 'ik zit op de jas van de tovenaar.'

'Wel verdraaid,' zei de tovenaar, 'dat is onze Simon Krekel.'

En werkelijk, het was de gewone bruine krekel, die daar op de jas zat. 'Ha, ha, ha,' lachten alle dieren, 'Simon Krekel wil een liedje zingen. Dat zal een mooi slaapliedje worden, zo eentonig van zzzjt, zzjt en meer niet! Nee, dan geven we de nachtegaal meer kans.'

'We zullen zien,' zei de tovenaar en nam de twee vogels en de krekel mee naar binnen. Ze liepen zeven trappen op, en zeven gangen door, toen kwamen zij bij de zaal waar de kleine Lindeloesje in bed lag, klaarwakker. 'Nu zullen we je gauw laten slapen,' zei de tovenaar en liet de nachtegaal van zijn schouder vliegen. 'Nachtegaal, doe je best!'

De nachtegaal zong en zong, zijn mooiste liedje, maar het was zo mooi, dat de prinses met wijdopen ogen bleef luisteren. 'Wat is dat prachtig,' zuchtte ze, 'dankjewel, nachtegaal.' Maar Lindeloesje bleef klaarwakker.

De leeuwerik werd losgelaten van de tovenaar zijn schouder. Hij vloog op en neer tussen het plafond en het bed en jubelde zijn lied. Het schalde door de zaal, het was vrolijk, het was zonnig, het was lief, je rook de velden en de bloemen, het was een stukje zomer dat daar zong. Het prinsesje werd er opgewekt van en lachte, maar slapen kon ze niet, ze bleef klaarwakker.

'Tja,' zuchtte de tovenaar, 'nu weet ik niet meer wat ik doen moet, alle andere dieren kunnen niet zingen. Als de nachtegaal en de leeuwerik je niet aan 't slapen kunnen brengen, wie kan het dan wel?'

Maar daar klonk opeens een zacht eentonig geluid, het knirpte en het knerpte, het was niet bijzonder mooi en welluidend, maar het was prettig om naar te luisteren.

Het prinsesje ging achterover in bed liggen en haar handjes lagen heel stil. Haar oogjes vielen dicht en warempel: Lindeloesje sliep. Het mooiste was, dat de tovenaar er niets van merkte, want hij was zelf ook in slaap gevallen en de twee vogels ook. En de krekel zong door, zijn eigen liedje, zijn slaapliedje van de velden.

'Verdraaid,' riep de tovenaar en hij wreef zich in de ogen, 'ik ge-loof dat ik geslapen heb. Wat is dat, onze prinses slaapt!'

'Ja warempel,' zeiden de nachtegaal en de leeuwerik, die ook wakker werden. 'Het prinsesje slaapt. Laten we zachtjes de deur uit gaan.'

Op zijn tenen sloop de tovenaar de zaal uit met de vogels op zijn schouder. De krekel bleef nog binnen zitten zingen. Hij, Simon Krekel, had de prinses aan het slapen gemaakt. Ze werd gezond en vrolijk wakker en was helemaal beter.

En Simon Krekel mocht in het paleis blijven wonen en kreeg een klein gouden kooitje waar hij in en uit mocht springen, zo vaak als hij wou. En alle andere dieren waren jaloers. Dat heb je nu eenmaal met dieren.

De haan wou hogerop

MET TEKENINGEN VAN ANNEMARIE VAN HAERINGEN

'Ik kan het hoogste vliegen van alle hanen ter wereld,' zei Kokkelu. En alle kippen uit het hok keken eerbiedig naar hun heer en meester en zeiden: 'Jawel, dat is zo, tok tok tok!'

'Kijk maar eens,' zei Kokkelu, de haan, 'hoe verschrikkelijk hoog ik vlieg?' Hij ging op zijn tenen staan, kraaide heel hard en vloog toen een paar meter hoog, tot boven op het kippenhok. 'Heb je 't gezien?' schreeuwde hij, 'hebben jullie 't allemaal gezien?'

'Jawel,' zeiden de kippen eerbiedig. 'Het is heel erg hoog.'

Kokkelu, de haan, zette zijn borst vooruit en wilde nog eens triomfantelijk kraaien, maar het kukeluku bleef hem in de keel steken. Want wat zag hij daar, toen hij zo met zijn kop achterover boven op het kippenhok stond? Hij zag in de verte een haan, jazeker een haan, die nog veel hoger was gevlogen dan hij, die haan zat helemaal op de kerktoren, bovenop.

Nog nooit had Kokkelu dat gezien, vandaag voor 't eerst ontdekte hij dat. Hij was er helemaal beduusd van en hij wist niet, dat die haan op de kerktoren een dooie ijzeren haan was en niet eens een echte. 'Ik zal morgen net zo hoog vliegen als hij,' zei hij tegen de kippen, 'wacht maar tot ik uitgerust ben, dan zal je zien, dan zal ik hem de waarheid eens gaan vertellen, die opschepper daarboven.'

En de volgende morgen stond Kokkelu nog vroeger op dan anders en kraaide nog harder dan andere dagen. De kippen keken vol bewondering naar hem op. 'Hij gaat vliegen,' zeiden ze tegen elkaar, 'hij gaat naar de top van de kerktoren vliegen, naar die andere haan daarboven.' Kokkelu zette zijn borst vooruit, nam een klein aanloopje en vloog. Hij spande zich heel erg in, hij vloog inderdaad veel hoger dan hij eigenlijk kon en hij kwam terecht op het dak van het lage schuurtje vlak bij de boerderij.

Daar zat hij te hijgen, maar hij was zo bekaf, dat hij geen kuke-
leku meer kon uitbrengen. Nu nog eenmaal flink inspannen, dacht
hij, dan vlieg ik helemaal tot aan de top van de kerktoren.

Maar ach, toen Kokkelu weer ging vliegen, toen kon hij niet
meer. Hij tuimelde naar beneden, hij kwam in de regenton terecht
en knapte twee van zijn mooie staartveren. Gelukkig kwam de boer
juist voorbij, die hem uit de regenton haalde, anders zou Kokkelu
nog verdronken zijn ook. Met geknakte staartveren kwam hij bij de
kippen aan, die hem verwonderd aankeken.

'Nou,' zei Kokkelu, 'jullie hebt het zeker niet gezien, hè? Ik ben
er geweest hoor! Daar helemaal boven op de kerktoren ben ik geweest en ik heb gezegd: "Jij lelijke opschepper!"'

'En toen,' vroegen de kippen ademloos.

'Toen heb ik hem een klap gegeven, en hij gaf een klap terug en
toen zijn we gaan vechten,' zei Kokkelu. 'Daarom ben ik twee van
mijn staartveren kwijt, maar dat geeft niet, dat groeit wel weer aan.
En ik heb het gewonnen, die haan daarboven is weg, hij is er niet
meer.'

'En hoe komt u zo nat?' vroeg een van de kippen.

'Wel,' zei Kokkelu, 'het regent daarboven altijd, begrijp je dat
niet? Het giet daar!'

De kippen keken allemaal naar boven en het eerste wat ze zagen,
was de haan op de kerktoren. Maar ze durfden niets te zeggen en
keken maar gauw weer voor zich op de grond. En Kokkelu heeft
altijd volgehouden dat hij de haan van de toren heeft gejaagd.

Het lucifersdoosje

MET TEKENINGEN VAN PHILIP HOPMAN

'Gijsbert, m'n zoon,' zei de oude vader. 'Ik zal niet lang meer leven. Je weet dat ik arm ben en dat ons huis verkocht moet worden, om mijn schulden te betalen. Hier heb je honderd gulden, dat is alles wat ik bezit. En nog een lucifersdoosje. Over de begrafenis hoef je niet in te zitten, want die is betaald. En nu denk ik dat ik de laatste adem ga uitblazen.'

'O nee vader, doe dat alsjeblieft niet,' smeekte Gijsbert.

'Ik doe het toch,' zei de vader en hij blies zijn laatste adem uit.

Daar stond de jongen, helemaal alleen. Het werd een keurige begrafenis, dat wel, want ze waren verzekerd, maar Gijsbert huilde op het kerkhof en ging toen naar het duurste hotel van de stad, waar hij at en sliep en ontbeet en toen waren de honderd gulden op.

Mismoedig liep hij het park in en ging op een bankje zitten naast een verpleegster.

'Hebt u misschien een vuurtje voor me?' vroeg zij.

'Natuurlijk zuster,' zei Gijsbert en haalde zijn doosje lucifers tevoorschijn. Er zat er nog net eentje in. Hij gaf haar vuur voor haar sigaret en wou het lege doosje weggooien.

'Pas op, doe dat niet,' zei de verpleegster. 'Dat is niet zomaar een doosje.'

'O nee?' vroeg Gijsbert.

'Nee,' zei ze, 'dat is een heel gek doosje. Je kunt er alles in doen.'

'Wat dan bijvoorbeeld?' vroeg Gijsbert.

'Die hond bijvoorbeeld,' zei de verpleegster. Ze pakte het doosje, schoof het open en zei: 'D'r in!'

Gijsbert zag dat de grote hond gehoorzaam in het doosje ging. Ze schoof het dicht en rammelde ermee. 'Hij zit erin,' zei ze. 'Als we hem eruit willen hebben, zeggen we gewoon "Pssst".' Ze deed het doosje weer open, zei: 'Pssst,' en daar stond de hond weer op het gazon, kwispelstaartte en liep verder.

'Geldt dat voor alles?' vroeg Gijsbert.

'Voor alles,' zei de verpleegster. 'Probeer het zelf maar eens met die kinderwagen.'

Gijsbert deed het doosje open en zei: 'D'r in.' Daar ging de kinderwagen met baby en al naar binnen. 'D'r uit,' zei hij, maar er gebeurde niets. 'Nee nee,' zei de verpleegster haastig, 'je moet niet zeggen: "D'r uit". Je moet zeggen: "Pssst".'

Gijsbert deed het en de kinderwagen stond weer netjes op het pad. Het kind was niet eens wakker geworden.

'Je kunt er veel gemak van hebben,' zei de verpleegster. 'Wat heb je 't allereerste nodig?'

'Een huisje,' zei Gijsbert. 'Zou een heel huisje erin kunnen?'

'Waarachtig wel,' zei ze. 'Daar bij de ingang van het park staan drie mooie huizen. Welk wil je hebben?'

'Dat witte,' zei Gijsbert.

'Kom maar, dan gaan we het halen,' zei ze.

'Maar de mensen die erin wonen, wil ik er niet bij hebben,' zei Gijsbert.

'Er woont niemand in,' zei ze. 'Het is een kantoor. En omdat het nog voor negenen is, zijn de kantoorbedienden er niet.'

Gijsbert schoof het doosje open. 'D'r in,' zei hij en daar ging het hele gebouw.

'Breng het nu maar naar een leuk plekje,' zei de verpleegster. 'Niet te dicht in de buurt, want dan valt het zo op. En nu moet ik weg. O ja, dat vergat ik je nog te zeggen: nooit meer dan één ding in je doosje! Als er iets in zit, moet je het er altijd eerst uit laten voor

je er weer iets anders in laat gaan.' Ze knikte hem vriendelijk toe en verdween achter een jasmijnstruik.

'Laat mij u even bedanken,' riep Gijsbert en liep om de struik heen. Maar ze was nergens meer te zien.

Op de plaats waar het witte gebouw had gestaan, was nu een kale put. Juist kwamen alle kantoorbedienden aan op brommers en in auto's, want het was nu vijf voor negen en ze moesten aan het werk. 'Het kantoor is weg!' riepen ze. 'Wat een zegen!' En ze begonnen allemaal te toeteren van geluk.

Heb ik me daar een goed werk gedaan... dacht Gijsbert en hij wandelde tevreden de stad uit. Aan de oever van een rivier vond hij een prachtig stukje grond met gras en bomen en daar deed hij zijn doosje open. 'Pssst,' zei hij en het huis stond zo stevig en zo vriendelijk verborgen tussen het geboomte, dat Gijsbert zich er dadelijk thuis voelde.

'Er zijn wel erg veel schrijfmachines,' zei hij, 'maar ze hinderen me niet. Een bed zou ik wel graag willen hebben.'

Hij ging naar een beddenmagazijn, waar wel honderd bedden op een rij stonden en toen de verkoopster eventjes niet keek, deed hij zijn doosje open en zei: 'D'r in.' Een mooi breed bed ging erin, met lakens en dekens en alles.

'Hebt u al een keus gemaakt?' vroeg de verkoopster, zich tot Gijsbert wendend.

'Ik kom nog wel eens terug met mijn vrouw,' zei Gijsbert en ging met zijn doosje naar huis. Nu kon hij beginnen met wonen en hij kreeg een heerlijk leventje. Eten haalde hij van de markt, af en toe bracht hij een kip mee en de vissen uit de rivier gingen gedwee in zijn doosje. Het enige vervelende was dat hij zo vaak heen en weer moest, want er mocht maar één ding tegelijk in zijn doosje. Maar het hield hem lenig en daar was ook iets voor te zeggen.

Op een dag had Gijsbert keelpijn en hij besloot bij de drogist een zakje drop te halen. Toen hij de winkel binnenkwam, zag hij een allerliefst meisje achter de toonbank staan. Ze was zo lief dat hij zijn keelpijn vergat.

'Wat had u gehad willen hebben?' vroeg het meisje.

'Jou,' zei Gijsbert. 'Wil je met me trouwen? Hoe heet je?'

'Ik heet Liesje,' zei ze. 'En ik wil helemaal niet met je trouwen. Ga weg, of ik roep mijn vader de drogist. Hij is heel groot en af-

schuwelijk sterk. Hij heeft haar op zijn borst.'

Gijsbert deed zijn doosje open en zei: 'D'r in.'

Daar ging Liesje naar binnen en hij nam haar mee naar zijn huis, opende het doosje en zei: 'Pssst.'

Ze kwam er woedend uit en riep: 'Laat me gaan of ik roep de politie.'

'Kom nou, wat onaardig van je,' zei Gijsbert. 'Kijk eens wat een mooi uitzicht we hier hebben. En er zijn zeven schrijfmachines in dit huis.'

'Dat verandert de zaak,' zei Liesje. 'Ik ben dol op schrijfmachines. Mag ik op allemaal tikken?'

'Net zoveel als je wilt,' zei Gijsbert. 'Wanneer je tenminste klaar bent met het huishouden,' voegde hij er haastig aan toe.

Liesje veegde de vloer en poetste zijn schoenen en ging toen zitten tikken.

'Wat zal ik meebrengen uit de stad?' vroeg Gijsbert.

'Een fles melk,' zei Liesje en tikte door.

In de melkwinkel deed hij zoals altijd. Hij wachtte tot de melkboer niet keek, schoof het doosje open, zei: 'D'r in,' en de melkfles zat erin. Maar de melkboer, die allang iets in de gaten had omdat hij zo vaak flessen melk miste, had het toch gezien. 'Zet dadelijk die fles melk terug,' zei hij.

'Ik heb geen fles melk,' zei Gijsbert en klopte op zijn lege zakken. 'Waar zou ik die fles moeten hebben?'

'In je lucifersdoosje,' zei de melkboer. 'Terug die fles of ik bel de politie.'

Gijsbert begreep dat er niets aan te doen was. Hij opende zijn doosje, zei: 'Pssst' en de melk stond op de toonbank.

'Zo,' zei de melkboer, 'en vertel me nou maar eens hoe dat doosje van je werkt.' Maar Gijsbert draaide zich om en holde de winkel uit. Wat een afschuwelijke pech, dacht hij. Nu weet de melkboer mijn geheim. En waar moet ik nu voortaan mijn melk halen? Hij ging zorgelijk op weg naar huis en kwam langs een wei waar een mooie bruine koe hem kauwend aankeek.

'Een hele koe, dat is de oplossing,' zei Gijsbert en liet het beest in zijn doosje. Nauwelijks zat de koe erin, of er stopte een politieauto naast hem en een agent zei bars: 'Mee naar het bureau!'

'Wat heb ik dan gedaan?' stamelde Gijsbert.

'Je hebt geprobeerd een fles melk te stelen,' zei de agent. 'We weten er alles van.'

De arme Gijsbert moest mee naar het bureau, waar de commissaris achter een tafel zat met wel zes politiemannen erbij. Streng keek de commissaris hem aan en zei: 'U hebt gepoogd een fles melk te ontvreemden bij het zuivelbedrijf, is dat juist?'

'Jawel,' fluisterde Gijsbert.

'Mij is tevens ter ore gekomen, dat u genoemde fles in een leeg lucifersdoosje vermocht te bergen, hoe hebt u dat bewerkstelligd?' vroeg de commissaris.

'Zo,' antwoordde Gijsbert. Hij nam zijn doosje, schoof het open en zei: 'Pssst.' Daar stond de koe in het politiebureau. Een enorm beest was het en ze schopte achteruit en stak wild met de horens links en rechts en de commissaris werd met stoel en al achterovergeworpen en de agenten kregen trappen en raakten in paniek. Gijsbert maakte gebruik van de verwarring, klom door het raam naar buiten en holde weg.

'Als ze me nu maar niet achternakomen,' hijgde hij en om niet op te vallen ging hij tussen een heleboel wachtende mensen staan, op de vluchtheuvel van de tram.

Hij merkte niet op dat de melkboer toevallig vlak naast hem stond. Maar de melkboer had hem wel gezien en toen de mensen gingen dringen om in de tram te komen, haalde de melkboer handig het doosje uit Gijsberts zak en stopte er een gewoon leeg lucifersdoosje in. Toen liep hij weg, terwijl Gijsbert in de tram stapte en niets had gemerkt.

'Bij de volgende halte ga ik eruit,' zei Gijsbert. 'Dan ben ik bij de supermarkt, daar hebben ze blikjes melk.'

Er stond een hele toren van melkblikken in de supermarkt, maar toen Gijsbert zijn doosje opendeed en zei: 'D'r in,' gebeurde er niets. Het blikje wou er niet in. Hij werd zenuwachtig en probeerde het met een blik soep, met een komkommer, met een juffrouw en met een hele wasmachine, maar het lukte niet meer. Hij ging de straat op en liep radeloos rond en probeerde voortdurend iets in zijn doosje te krijgen, maar er wou nog geen vlieg in.

Intussen was de melkboer ineens van wal gestoken. De man wilde direct een grote slag slaan en dezelfde dag nog schatrijk worden. Hij ging regelrecht naar het gebouw van de Nationale Bank. Daar, in een zijvertrek, stonden achter ijzeren tralies grote zakken vol goudstukken. De melkboer wist dat zo goed, omdat zijn zwager er werkte. Hij ging voor de tralies staan, keek naar een van de zakken, deed het doosje open en zei: 'D'r in!' Dwars door de tralies heen kwam de zak naar hem toe en verdween in het lucifersdoosje.

'Mooi zo,' zei de melkboer tevreden en liep fluitend naar huis. Boven de melkwinkel had hij een rustige kamer, waar hij z'n doosje opende. 'D'r uit!' zei hij. Maar er kwam helemaal niets uit. Wanneer de domme melkboer beter had opgelet, zou hij indertijd gehoord hebben dat Gijsbert iets anders had gezegd, toen met de melkfles. Maar de melkboer had niet goed opgelet en bleef koppig roepen: 'D'r uit!'

Toen het maar niet wilde lukken, rammelde hij kwaad met het doosje en riep: 'Kom d'r uit, voor den donder! Zal je d'r uitkomen, of ik bega een ongeluk!' Maar het hielp allemaal niets. 'Toe lieveling, ik smeek je, kom eruit,' klaagde de melkboer met tranen in zijn ogen. Maar de zak kwam niet tevoorschijn.

Gijsbert, die radeloos door de stad zwierf, kwam op dat moment langs de melkwinkel en bleef staan luisteren. Hij hoorde roepen: 'D'r uit, zak!' En even later: 'Kom je d'r uit, rotzak!'

'Wat een lelijke woorden zegt die melkboer,' mompelde Gijsbert. 'Het is toch echt geen aardige man.' En hij wou al verdergaan, maar er ging ineens een klein schokje door hem heen en hij bleef stokstijf staan.

Is het mogelijk dat mijn doosje… dacht hij, maar op dat moment hoorde hij de melkboer schreeuwen: 'Daar dan, doos van niks!' En het lucifersdoosje vloog met een sierlijke boog het raam uit en kwam voor Gijsberts voeten terecht.

'Bedankt,' zei Gijsbert, raapte het op en gooide het valse doosje in de goot. Hij kwam dolgelukkig thuis en zei tegen Liesje, die in de gang op hem stond te wachten: 'Melk heb ik nog niet, maar een avonturen dat ik beleefd heb!'

'Je zult er nog meer beleven,' zei ze. 'Mijn vader zit in de kamer.'

'Je vader?' vroeg Gijsbert. 'O ja, je vader, de drogist. Wat wil hij?'

'Hij wil je doodslaan,' zei Liesje. 'Hij is razend, omdat je mij hebt ontvoerd. Hij heeft een grote fles hoestdrank meegebracht.'

'Maar ik hoest niet,' zei Gijsbert.

'Het was de grootste fles die hij in zijn winkel had,' zei Liesje, 'en het leek hem zo'n mooie fles om er iemand de hersens mee in te slaan.'

'Heremijntijd, het is toch niet waar?' riep Gijsbert. 'Dan ga ik liever nog wat wandelen.' Maar nog voor hij zich kon omdraaien, ging de kamerdeur open en de drogist kwam op hem af met een grote groene fles. Hij greep Gijsbert in z'n kraag en zei vuurrood van drift: 'en nou ga je d'r an, broer!'

'Genade, lieve meneer de drogist,' smeekte Gijsbert en probeerde zich los te wringen. De drogist hief de fles en wilde die met kracht op Gijsberts schedel laten neerkomen. Gijsbert had nog net tijd om z'n doosje uit z'n zak te pakken en het met een hand te openen. 'D'r in,' zei hij.

Onmiddellijk verdween de drogist in het doosje. Maar o wee, er zat al iets in. Dat was de zak met goudstukken. En twee dingen te-

gelijk... dat mocht helemaal niet. Het doosje begon te springen en te draaien in Gijsberts hand. Hij liet het los en daar lag het op de grond te schudden. Er was een enorm lawaai in het doosje alsof er twee leeuwen in vochten, toen begon het hout te kraken en het dekseltje boog. Gijsbert keek er verschrikt naar en krák... daar lag het in kleine houten spaandertjes. En daar zat de drogist met blauwe builen op zijn hoofd en naast hem stond een grote zak.

'Wat... wat is er met me gebeurd...' kreunde de drogist. 'Ik heb het gevoel of ik door een betonmolen gedraaid ben. Au... mijn hoofd.'

Gijsbert deed de zak open en zag al die goudstukken. 'Die hele zak is voor u,' zei hij tegen de drogist, 'als ik met uw dochter mag trouwen.'

Ogenblikkelijk vergat de drogist zijn builen. 'Kom je er eerlijk aan?' vroeg hij.

'Heel eerlijk,' zei Gijsbert. 'Ik heb het niet gestolen.'

'Wel,' zei de drogist, 'wanneer mijn dochter je hebben wil, mag het van mij ook. Wil je hem hebben, Lies?'

'Graag,' zei Lies. 'Ik hou van hem.'

'Ook al is mijn doosje kapot?' vroeg Gijsbert.

'Natuurlijk,' zei ze. 'Je kunt toch immers gaan werken, luiwammes!'

Ze gingen met hun drietjes in de stad eten. De drogist betaalde alles en de volgende dag nam Gijsbert een betrekking aan. Als conducteur van de tram, dat had hij altijd een machtig beroep gevonden. En Liesje verdiende er nog wat bij met tikken.

De prinses met de gouden haren

MET TEKENINGEN VAN MARTIJN VAN DER LINDEN

'Vader, ik trek de wijde wereld in,' zei Hans, de molenaarszoon. 'Wat ga je doen in de wijde wereld, Hans,' zei z'n vader. 'Je bezit geen cent!' 'Toch ga ik weg,' zei Hans. Hij pakte zijn rugzak, stopte er vier boterhammen met kaas in en een fles melk en zei iedereen goeiendag, zijn vader, zijn moeder, zijn broers, de kat en de kanarie en ook... het molenmannetje. Het molenmannetje was een klein dwergje, dat in de molen zat. Hans was altijd dikke vrienden met hem geweest. 'Och, ga je heus weg,' vroeg het mannetje schreiend.

'Huil maar niet,' zei Hans. 'Tot ziens!' en hij gaf hem twee van zijn boterhammen en zijn gouden horloge als aandenken. En het mannetje gaf hem een houten fluitje. 'Dat moet je goed bewaren,' zei hij. 'Pas als je echt hulp nodig hebt mag je erop fluiten. Dan zul je zien wat er gebeurt.' 'Dankjewel,' zei Hans en ging nu heus, de wijde wereld in. Hij liep overdag in de zon en de regen, werkte voor boeren en trok steeds verder. 's Nachts sliep hij onder een heg, of in een schuur en hij voelde zich heel gelukkig. Soms had hij honger, dan wilde hij eigenlijk graag op het fluitje blazen, maar nee, dacht

Hans, zover is het nog niet, misschien komt er een ogenblik dat ik het harder nodig heb.

Na zeven dagen trekken kwam Hans eindelijk in de hoofdstad van het land. Hij zag daar alle mensen met heel treurige gezichten lopen. 'Wat is er toch aan de hand,' vroeg hij. En iedereen zei met tranen in de ogen: 'Er is weer iemand opgegeten door de vijverschildpad.' 'Wat is dat, de vijverschildpad,' zei Hans. 'Weet je dat niet?' vroegen de mensen verbaasd. 'Je weet toch wel van de prinses met de gouden haren?' 'Nee,' zei Hans, 'daar weet ik niets van.'

Nou, toen vertelden ze hem het verhaal: de koning van het land die een eindje verder in een prachtig paleis woonde, had een dochter, een prinses met gouden haar. Ze had altijd een kroontje van diamanten opgehad, maar een poos geleden was dat kroontje in de vijver van de paleistuin gevallen. Die arme prinses was ontroostbaar. En diegene die het kroontje uit die vijver kon halen, zou met haar mogen trouwen. 'Er zijn er wel vijftig die het geprobeerd hebben,' zeiden de mensen in de hoofdstad treurig, maar ze zijn allemaal opgegeten door de vreselijk bloeddorstige schildpad, die in die vijver rondzwemt.'

'Ik zal het ook eens proberen,' riep Hans, maar een oud vrouwtje, dat naast hem stond, zei: 'O, doe het toch niet. Je bent zo'n aardige jongen, de schildpad zal jou ook opeten.'

'Dat zullen we nog wel eens zien,' zei Hans, en hij ging zich aanmelden aan het paleis.

De koning zelf deed open en bekeek hem van onder tot boven. 'Kom je hier voor de prinses?' vroeg hij. 'Ja, sire,' zei Hans, heel bedremmeld. 'Ik zal je de vijver wijzen,' zei de koning.

Nu, toen Hans er vlak voor stond, zag hij de schildpad al zitten, met een open bek vol verschrikkelijke tanden. Moest hij nu in de vijver duiken? Hij wachtte een poosje en haalde toen het fluitje uit zijn zak en blies erop. En toen kwam er ineens een donderend lawaai en daar om de hoek van het paleis kwam het molenmannetje aanrennen en twee hele grote molenstenen rolde hij voor zich uit. 't Ging allemaal zo vlug, dat Hans nauwelijks tot tien kon tellen in die tijd.

De molenstenen rolden met donderend geweld in de vijver. Het water spatte huizenhoog op, iedereen die om de vijver stond was kletsnat. Hans ook, maar toen hij de natte haren uit zijn ogen streek

zag hij het diamanten kroontje van de prinses vlak voor hem op de oever liggen; het was door het water omhooggegooid en de schildpad lag morsdood op de bodem. 'Hoera voor Hans,' riepen alle mensen eromheen. Toen mocht Hans de prinses zien en het was werkelijk een hele mooie prinses met gouden haren. De bruiloft werd gevierd en de hele stad vierde feest en het molenmannetje mocht mee aan tafel zitten en kreeg een klein bordje en een klein mesje en een klein vorkje.

De rechter en zijn toverhoed

MET TEKENINGEN VAN WOUTER TULP

Er was eens een oude dief, die een koe had gestolen. Dat is iets heel erg en hij zat dan ook in een cel in het raadhuis te wachten op zijn vonnis. Oei, oei, wat was die dief bang, want hij wist dat de rechter van de stad een hele strenge, knorrige, humeurige, sombere man was, die nooit iets door de vingers zag en zeker niet een hele koe.

Daar zat die arme dief en wachtte en wachtte, maar het duurde erg lang voor hij geroepen werd en dat kwam omdat de rechter nog steeds niet binnen was. En ook alle raadsheren en advocaten in de rechtszaal zaten maar te wachten en de rechter kwam maar niet. Dat was nog nooit gebeurd, hij was altijd nog op tijd geweest. Wat was er dan toch met de rechter?

Wel, hij was 's morgens zoals gewoonlijk naar de rechtszaal ge-wandeld en onderweg liep hij langs de havenkade en daar had de wind foetsj zijn hoed in het water gewaaid. Daar stond hij nu. Een rechter zonder hoed is helemaal geen rechter, dat begreep hij wel. Hij kon zo niet het gerechtshof binnenkomen. Hij zag zijn hoed midden in de haven drijven en stond daar met zijn handen in het haar.

Tante Keetje, dacht de rechter opeens. Dat was een idee! Hij had een heel heel oude tante, die op de havenkade woonde, in een heel heel oud huis en tante Keetje wist altijd overal raad op.

'O, lieve tante Keetje,' zei de rechter, toen hij binnenkwam, 'mijn hoed is in het water gewaaid, zegt u eens, wat moet ik nu doen?'

'Wacht maar, jongen,' zei tante, 'ik heb nog wel een hoed voor je op zolder.' Ze zei altijd 'jongen' tegen hem, hoewel de rechter een oude, strenge, knorrige, humeurige, sombere man was maar tantes blijven altijd 'jongen' zeggen, begrijp je wel?

Tante ging naar boven en kwam even later met een keurige ou-derwetse hoge hoed terug. 'Nu moet je wel oppassen,' zei ze tegen haar neef. 'Er is iets met die hoed. Hij is al honderd jaar oud en er is iets heel raars mee. Maar ik ben vergeten wat.'

Nu, het was zo, die hoed was een toverhoed. Als je die opzette,

dan werd je opeens vrolijk en gezellig en zonnig en blij, in plaats van knorrig en humeurig.

De rechter nam de hoed, draaide hem tussen zijn vingers en zette hem op. Nu moet je weten dat die rechter een streng, knorrig, humeurig, somber gezicht had, maar meteen toen hij die hoed opzette, veranderde dat gezicht. Het werd opeens olijk en jolig en kwajongensachtig. Hij danste door de kamer en riep: 'Hatsjee!'

'Daar heb je het nu al,' zei tante. 'Zie je wel, neef, dat komt door die hoed. Zet hem asjeblieft dadelijk af, want je hele waardigheid verdwijnt met die hoed.'

Maar de rechter dacht er eenvoudig niet aan. Hij pakte tante Keetje beet, danste met haar door de kamer, en zong van O, Suzanne!

Toen liep hij dansend het huis uit en holde opgewekt naar de rechtszaal waar alle raadsheren en advocaten plechtig zaten te wachten in hun zwarte toga's en waar de oude dief angstig op zijn strafbankje zat.

Daar kwam de rechter binnen. 'Holderijee,' riep hij, 'dag jongens, dag dief, hoe gaat het met jullie?'

Goeie hemel, wat schrokken al die deftige heren. Zoiets hadden ze nog nooit meegemaakt, die oude, knorrige, humeurige, strenge, sombere rechter had ineens iets jofels gekregen. Hij was heel anders geworden. 'Zal ik uw hoed aanpakken,' zei de bode schuchter.

'Wis en deksels niet,' zei de rechter. 'Ik hou hem op.'

Toen ging hij zitten, keek de dief met een knipoogje aan, en zei: 'Heb jij een koe gestolen?'

'Jawel, edelachtbare,' zei de dief.

'Wat onaardig van je,' zei de rechter. 'Wij mensen moeten geen koeien stelen, begrijp je niet dat je mij daarmee een groot verdriet doet?'

'Jawel, edelachtbare,' zei de dief snikkend.

'Dan is het goed,' zei de rechter vriendelijk. 'Ga nu maar naar huis en doe het nooit weer.'

De hele rechtszaal zat stom van verbazing te luisteren. Die rechter, die anders zo streng was, had de ouwe dief vrijgesproken.

De dief ging naar huis en vertelde aan alle andere dieven dat de rechter toch zo'n aardige joviale man was. 'Wij moeten maar niet meer stelen,' zei hij. 'Hij heeft er verdriet van, die rechter!'

En de rechter was zo tevreden met zijn hoed, dat hij hem nooit meer afzette, behalve wanneer hij naar bed ging en dan hinderde het niet dat hij knorrig was, omdat hij dan toch sliep. Zo bleef hij altijd vrolijk, zonnig, tevreden en vriendelijk en langzamerhand werden alle dieven in de stad goede brave mensen, die nooit meer stalen.

Nu zie je weer eens wat een toverkracht er in een hoed kan steken.

Het kleermakertje en de dertig zeerovers

MET TEKENINGEN VAN JAN JUTTE

Een kleermaker zat boven op zijn tafel te werken. Hij maakte broeken en jassen en zo nu en dan kwam er een klant binnen in het keldertje, waar hij woonde; dan vroeg hij: 'Twee rijen knopen, meneer, en wilt u de jas wijd hebben, of liever aangesloten?'

En zo gingen de dagen voorbij en er gebeurde nooit iets bijzonders, totdat er op zekere dag een heel wonderlijke klant het keldertje binnenstapte.

Hij had een woeste baard, hij droeg een grote oliejas en hij zag er wild en gevaarlijk uit. Met een grove bromstem baste hij: 'Ik wil een jas bestellen. Hij moet woensdagavond klaar zijn. Kan dat?'

'Welzeker, meneer,' zei de kleermaker ijverig.

'Het moet een jas zijn vol koperen knopen en met zilverborduursel. En ik wil aan iedere kant een zilveren doodshoofd geborduurd hebben. Kan dat?'

'Zeker, meneer,' zei de kleermaker, die graag iets wou verdienen.

'Je krijgt er honderd dukaten voor,' zei de vreemdeling. 'En woensdagavond moet je hem bezorgen. Kom dan om negen uur met de jas naar de Holle Weg. Bij de buiging van die weg staat een wilgenboom. Daar zal ik staan wachten om de jas in ontvangst te nemen. Afgesproken?' De kleermaker knikte bedremmeld, en de vreemdeling draaide zich om en verdween.

Wat zou dat voor een rare snuiter wezen, dacht de kleermaker. Een jas met koperen knopen en zilveren doodshoofden! Enfin, ik zal mijn best doen. En hij ging aan het werk en maakte een prachtige zwarte jas met zoveel koperen knopen en zilverborduursel en doodshoofden, dat het blonk en glinsterde.

En op woensdagavond was de jas klaar en de kleermaker ging met het pak onder zijn arm door de duisternis naar de Holle Weg. Het was donker, maar de maan scheen telkens even tussen de wolken door. Bij de buiging van de weg, naast de wilgenboom, stond een donkere gedaante. Toen de kleermaker daar aankwam, griste de gedaante het pak uit zijn armen en verdween.

'Wel verdraaid,' zei de kleermaker boos. 'Daar gaat hij met mijn mooie jas. En de honderd dukaten vergeet hij me te geven. Wacht maar, ik zal je krijgen, mannetje.'

En hij glipte tussen het struikgewas de man achterna. Het ging over een wirwar van kronkelpaadjes; ze kwamen in de duinen terecht en de kleermaker volgde de vreemdeling, totdat hij een lichtje zag schijnen aan de voet van een duin. Daar stond tussen doornstruiken en brem een houten huisje. De kleermaker glipte mee het huisje binnen en daar was het me een herrie!

Het was een zeeroveshol. Dertig zeerovers zaten daar bij elkaar te schreeuwen en brandewijn te drinken; ze zongen een woest lied, en hieven het glas toen ze de man met het pak onder zijn arm zagen binnenkomen. 'Daar is de jas,' riepen ze. 'Koning Roodbaard, daar is je jas!'

In het algehele tumult zagen ze het kleine kleermakertje niet, dat schichtig omzag naar een schuilplaats en vlug wegkroop in een grote, oude staande klok, die in een hoekje stond.

Koning Roodbaard was het hoofd van alle zeerovers. Hij zag er angstaanjagend uit met zijn reusachtige gestalte en zijn rode baard. Hij trok de nieuwe jas aan met de koperen knopen en de zilveren doodshoofden en zag er toen nog griezeliger uit.

Ai, dacht de kleermaker, die vanuit de klok door een kiertje het gezelschap bekeek. Dit is een gevaarlijke beweging. Maar eens opletten wat ze gaan doen.

Koning Roodbaard grijnsde en sprak: 'Mannen, vannacht zal ons schip vertrekken. Ons kaperschip, dat aan de kust ligt. We gaan weer op roof uit, dat is al lang niet gebeurd. Hoera!'

'Hoera!' schreeuwden alle woeste zeerovers met hem mee, en ze begonnen weer te zingen en te brassen, en niemand had er erg in dat het kleine kleermakertje uit zijn klok kroop en door de deur verdween.

Hij snelde door de duinen naar de zee. En jawel hoor, daar lag het grote zeeroversschip, met masten en zeilen, klaar om te varen. De kleermaker bedacht zich geen ogenblik, stapte in het roeibootje, dat daar aan het strand lag en roeide naar het kaperschip. Toen hij er vlakbij was gekomen, kapte hij de kabels van het anker en daar gleed het schip over de golven de zee in, zonder bemanning. De kleermaker haastte zich weer terug met zijn bootje, rende weer

door de duinen naar het piratenhol en kroop op zijn oude plaatsje in de klok. Alle zeerovers waren in slaap gevallen, moe van het brassen en zingen.

En toen opeens zong de kleermaker vanuit zijn klok een liedje op schrille toon:

'Ik ben het klokkenspook en ik zeg:
koning Roodbaard, je schip is weg!'

De piraten schrokken wakker. Koning Roodbaard stond te luisteren met een dodelijke schrik op zijn woeste gezicht.

Toen stormden zij allemaal het huisje uit, de duinen in.

De kleermaker kwam vlug uit zijn klok en doorzocht het zeerovershuis. Alles wat van waarde was stopte hij in een grote zak: een kist met dukaten en flessen wijn en hele gerookte hammen. Er was niets meer over dan alleen wat lege glazen.

Toen ging hij naar huis, de slimme kleermaker. Hij hoorde in de verte op het strand de zeerovers nog schreeuwen, maar hij trok er zich niets meer van aan. En hij had nu zoveel dukaten, dat hij zijn leven lang geen broeken en jassen meer hoefde te maken en rustig kon gaan leven.

De diepvriesdames

MET TEKENINGEN VAN WOUTER TULP

Er was eens een kapper die 's maandags vrij had en dan alle bezienswaardigheden ging bekijken. Hij was al naar het museum geweest en naar de tentoonstelling en naar de echoput en toen wist hij
niets meer.

'Waar moet ik vandaag heen?' vroeg hij zich af op maandag-
morgen. 'Wacht, ik kon wel eens naar het koelhuis gaan, waar de
diepvrieskabeljauw bewaard wordt. Misschien is het niet een echte
bezienswaardigheid, maar het is tenminste iets.'

Het koelhuis stond een heel eind buiten de stad en hij reed er met
zijn autootje naartoe.

Daarbinnen was het frisjes. Twintig vrouwen waren bezig stukken kabeljauw in te pakken en ze hadden het zo druk dat ze hem
niet eens opmerkten.

Dit is nog niet de echte diepvries, dacht de kapper. Ik moet wat
verder het gebouw in. Hij volgde een paar mannen die grote kis-
ten vis wegdroegen. Ze hadden hele dikke jassen en leren handschoenen aan en wollen kappen op, en dat moest ook wel, want in
de grote diepvriesruimte was het veertig graden onder nul.

'Toch wil ik het zien,' zei de kapper bibberend. Hij zette de kraag
van zijn jasje op en liep van de ene diepvrieskamer in de andere,
langs eindeloze rekken met vis vis vis.

'Wat groot is het hier,' zei de kapper. 'Ik moet niet te ver gaan,
want ik zou warempel verdwalen. Waar zijn de mannen gebleven?
Hallo...' riep hij. En toen er geen antwoord kwam, riep hij nog eens:
'Hallo!'

Mijn hemel, ik moet terug, dacht hij. Of ik bevries. Deze tem-
peratuur is niet te verdragen. Hij keerde zich om en ging terug. Van
de ene ruimte dwaalde hij in de andere, tussen de vis en na tien minuten was hij de richting totaal kwijt. Wanhopig begon hij te draven
en te schreeuwen, maar niemand hoorde hem.

De ijskou kroop in zijn neus en in zijn longen en in zijn ogen en
in zijn tenen en alles deed hem pijn. Eindelijk was hij helemaal stijf

en ging boven op een pak vis zitten huilen. Zijn tranen bevroren onmiddellijk en vielen als ouderwetse peerdrops op de vloer waar ze ketsten.

'O lieve mensen, nu vries ik dood,' zei de kapper. 'Over vijf jaar vinden ze mijn bevroren lijk. Dan zullen ze zeggen: "kijk, daar ligt de kapper die elke maandag uitging om de bezienswaardigheden te bekijken." Gelukkig heb ik geen vrouw die om mij zal treuren. Alleen maar klanten en die vinden wel een andere kapper. En nu ga ik slapen en ik word nooit meer wakker.'

Hij deed zijn ogen dicht en het was of hij in een diepe put viel. Hij viel en viel en viel en het werd warmer want slaap is altijd warm.

Toen hij ontwaakte, hield hij de ogen angstig dicht en zei: 'Ben ik in de hemel of in de hel? Ik ben dood, dat staat vast, maar het lijkt wel of ik in een auto rijd. Ik beweeg, ik ga vooruit. Zou dit misschien mijn begrafenis zijn? Dan gaat het wel oneerbiedig hard, moet ik zeggen.'

Toen deed hij zijn ogen open. Hij zat op een slee die getrokken werd door zes witte beesten. Ze waren zo groot als wolven, maar toen hij goed keek, zag hij dat het fretten waren. Grote witte fretten.

'Ben je wakker?' vroeg een stem.

Hij keek opzij en zag naast zich een dame in een wit plastic mantelpak. Ze was heel mager, ze had lichtende ogen en ze lachte met witte lippen.

Alles aan haar was wit, maar misschien kwam dat door het maanlicht.

'Is het niet toevallig dat ik je gevonden heb?' riep ze. 'Wat hebben
we elkaar lang niet gezien. Je kent me toch nog wel?'

Ineens herinnerde de kapper zich zijn jeugd en hij zei: 'U bent
tante Frigitte!'

'Juist,' zei ze. 'Nu ben je mijn gast en ik neem je mee naar huis.'

De kapper voelde zich niet op zijn gemak. Hij wist nog goed dat
tante Frigitte hem hard in zijn oor had geknepen toen hij klein was.
Omdat hij een plasje deed in de tuin op haar witte fresia's.

'Maar tante,' zei hij. 'Ik dacht dat u door het ijs was gezakt toen ik acht jaar was.'

'Dat is ook zo,' zei ze. 'En daarom ben ik nu hier. Kijk eens hoe prachtig het is in onze diepvrieskolonie!'

De kapper keek om zich heen.

'Een hele stad van kristal,' riep hij. 'Wolkenkrabbers van kristal!'

'Van ijs,' zei ze. 'Alles is van ijs en van sneeuw. En toch heb je 't niet koud, is 't wel?'

'Nee,' zei hij en dat was waar. Hij had het niet koud meer en hij keek geboeid naar de gladde straten tussen de torenhoge ijsflats die fonkelden en schitterden en flitsten met een miljoen briljanten lichtjes in de maneschijn. Er was een druk stadsverkeer. Overal sleeën en in alle sleeën zaten dames en ze werden allemaal door grote fretten voortgetrokken.

'Wonen er alleen dames in deze stad?' vroeg hij.

'Nee,' zei ze. En ze wees naar de verkeersagent.

De kapper moest lachen, want het verkeer werd geregeld door een sneeuwpop met een wortelneus en houtskoologen.

En toen waren ze thuis. Thuis in de diepvriesvilla van tante Frigitte. Het huis leek van glas te zijn, maar het was allemaal ijs wat de klok sloeg. De vloeren waren bedekt met mollige kraaksneeuw-tapijten, de muren waren doorzichtig maar hier en daar bedekt met ijsvarens. Overal stonden banken met sneeuwen dekens en tafels van ijs. En op alle banken zaten diepvriesdames in het wit met witte haren en witte kostuums en toen de kapper en tante Frigitte binnenkwamen, begonnen ze te roepen en te babbelen.

'Dit is mijn neef, de kapper,' zei tante Frigitte. 'Hij zal ons allemaal een prachtig kapsel geven.' Alle dames begonnen harder te kwetteren met het geluid van ijsbrokken in een koeler. Ze kwamen naar hem toe. Ze bekeken hem van top tot teen. Ze knepen in hem en draaiden hem in 't rond en roken aan zijn haar en de arme kapper voelde zich erg onbehaaglijk.

'Laat de jongen eerst wat eten, voor hij aan zijn werk begint,' zei tante Frigitte en ze klapte in haar handen.

Een sneeuwman op plompe sneeuwvoeten kwam binnen met een blad vol bevroren kabeljauw en een ijsje. De kapper at en toen het op was moest hij aan het werk. Hij kreeg een salon van ijs, helemaal voor zich alleen, met spiegels van ijs en bankjes van sneeuw.

Daar kwam de ene diepvriesdame na de andere en hij maakte hun spierwitte haar op. Hij kamde en vlocht en borstelde de witte lokken, stak ze vast met ijsnaalden en hier en daar een ijsbloem. Het werd prachtig: ze kregen hoge, krullerige, glanzend-witte ijstaarten op hun hoofd en allemaal waren ze verrukt.

Een van de diepvriesdames was jong. Ze heette Sorbet en ze was zo mooi dat de kapper aldoor naar haar moest kijken in de spiegel. Ook zij had wit haar en een wit gezicht, maar haar ogen waren donkere bevroren vijvertjes waar het maanlicht in speelt en haar stem klonk als arrensleebelletjes.

'Vertel me eens iets van het land waar je vandaan komt,' zei ze.

De kapper probeerde zich zijn eigen land te herinneren, maar vreemd genoeg was hij helemaal vergeten hoe het eruitzag.

'Vertel op, hoe is het daar?' vroeg de mooie Sorbet.

'Ik weet het niet meer,' zei hij. En toen ging ze weg en er kwam een volgende diepvriesdame in zijn ijssalon.

De kapper was tevreden. Hij at elke dag bevroren vis en ijs, hij werkte hard en hij dacht nooit meer aan zijn eigen land.

's Avonds mocht hij kijken naar het winterbal op het grote ijsplein. Daar dansten de diepvriesdames op schaatsen in het maanlicht, met hun schitterend witte kapsels. Op een van die avonden kwam Sorbet naast hem staan en vroeg: 'Wil je met mij dansen?'

'Ik kan niet schaatsenrijden,' zei de kapper. 'Ik heb geen schaatsen.'

'Kom dan een uurtje met me sleeën,' vroeg Sorbet. En ze nam hem mee naar haar eigen slee, bespannen met acht forse fretten.

Maar toen de kapper in de slee wou stappen, kwam hij te dicht bij een van de fretten. Het dier beet hem in zijn vinger en er viel een druppel bloed op de sneeuw.

En toen de kapper het rode bloed zag, wist hij ineens weer hoe zijn eigen wereld eruit had gezien. O ja, daar waren kleuren, dacht hij. Daar was rood. Rood van bloed en rood van geraniums en rood van stoplichten. Daar was groen van gras en geel van kuikentjes en roze van giro-enveloppen. En onderweg vertelde hij aan Sorbet hoe prachtig zijn wereld was.

'Kleuren,' zei hij. 'Overal kleuren.'

Ze begreep hem helemaal niet. Hij kon het haar niet uitleggen en begon te stamelen, maar zijn ogen straalden zo, dat ze toch heel geboeid was.

'En er is zon,' zei hij.

'Wat is zon?'

'De zon is geel en heet en heerlijk,' zei de kapper. 'O, wat wil ik graag terug naar mijn eigen wereld. Lieve Sorbet, wijs me de weg.'

'Ik kan je de weg wel wijzen,' zei Sorbet, 'maar op één voorwaarde.'

'Wat dan?'

'Neem mij mee,' zei ze. 'Ik wil bij je blijven. Ik vind je lief.'

'Akkoord,' zei de kapper. 'Dan ben je nu mijn verloofde. Laten we meteen gaan.'

Ze reden de stad uit en kwamen op kale ijsvlakten waar niets was behalve maanlicht en ijs.

'Je tante Frigitte was van plan om je nooit meer te laten gaan,' zei Sorbet. 'Ze wou een sneeuwpop van je maken met kooloogjes.'

Voor het eerst rilde de kapper en zei: 'Laten we harder rijden.'

Maar het ijs werd brokkeliger. Grote sneeuwhopen versperden de weg. Er huilden poolwinden om de sneeuwbergen heen, het was een griezelig landschap.

'We moeten er hier uit,' zei Sorbet, 'we moeten te voet verder.' Ze lieten de slee staan en klauterden over de schotsen en sneeuwhopen verder.

'Hier moet ergens de ingang zijn,' zei ze. 'De ingang van de grot. Het is het eind van onze wereld en het begin van de jouwe.'

'Stil eens,' zei hij. 'Hoor ik roepen?'

Ze stonden allebei stil om te luisteren. 'Het is tante Frigitte,' zei Sorbet. 'Ze komt ons achterna.'

'Neef!' riep de stem van tante Frigitte in de verte. 'Neef! Kom dadelijk terug!'

'Gauw gauw,' zei Sorbet. 'Hier ergens, tussen deze schotsen, moet de opening zijn.'

Ze zochten wanhopig tussen de ijsschotsen, groeven met hun handen in de sneeuw en gooiden grote brokken ijs omver.

'Opschieten,' hijgde Sorbet. 'Ze is er al. Ik hoor haar voetstappen kraken.'

'Hier is een gat,' zei de kapper.

Net op tijd lieten ze zich in de grot zakken. Vlak boven hen hoorden ze tante Frigitte zoeken en roepen en kraken over het ijs, maar ze kropen dieper en dieper de grot binnen en kwamen in een gang.

'Zou ze ons volgen?' vroeg de kapper bevend.

'Nee,' zei Sorbet. 'Ze is veel te bang voor jouw wereld, ze durft niet verder.'

Aan het eind van de gang was een deur die heel gemakkelijk openging.

'Het koelhuis,' zei de kapper. 'We zijn in het koelhuis en ik weet nu ineens hoe ik de uitgang moet vinden. Kom maar mee.'

Hij vond de uitgang heel gauw en daar stonden ze plotseling in de warme zonneschijn. Het was prachtig. Groene wuivende bomen en rode pioenen en gele boterbloemen in het gras. Wat een mooie wereld. De kapper lachte van geluk en zei: 'Hoe vind je dit?'

'Mooi,' zei Sorbet. Ze had het wel warm, dat kon je zien. Het zweet stond op haar voorhoofd.

'Bij mij thuis is het lekker koel,' zei hij. 'Kijk, hier staat warempel mijn autootje nog. Kom er maar in, dan zal ik je alles laten zien.'

'Zie je al die kleuren?' vroeg hij, toen ze reden. 'Kijk eens naar die rode daken en het blauwe water.'

Hij was zo opgewonden en hij had zoveel te kijken onderweg dat hij helemaal niet op haar lette en niet merkte dat ze geen woord zei.

Eindelijk moest hij stoppen voor een rood licht en hij keek opzij. 'Hemel, je smelt!' riep hij.

Het arme diepvriesmeisje was bezig een plasje te worden. Ze smolt heel snel. De kapper nam zijn zakdoek en veegde haar gezicht af, maar er kwam meer en meer water. Hij schoof het dak van zijn wagentje open en wuifde haar koelte toe, maar het hielp allemaal niets.

Achter hem begonnen de andere auto's te toeteren, want het licht was op groen gesprongen. Maar hij was te verbouwereerd om door te rijden, en hij bleef jammerend roepen: 'Ze smelt, ze smelt.'

Een agent stak zijn hoofd door het portierraampje en vroeg: 'Waarom rijdt u niet door, meneer?'

'Mijn verloofde is bezig te smelten,' zei de kapper.

'Waar is uw verloofde dan?' vroeg de agent.

'Hier naast me,' zei de kapper, maar naast hem lag enkel een plasje.

'U voelt zich zeker niet goed,' zei de agent. 'Als ik u was zou ik maar doorrijden en thuis een koude douche nemen.'

'Maar die plas is mijn verloofde,' zei de kapper wanhopig en reed door.

De agent keek hem medelijdend na. Toen de kapper thuis was, nam hij een dweil en veegde de voorbank af. Gelukkig is het kunstleer, dacht hij en toen schrok hij zelf van zijn harteloosheid. 'Kan het me dan zo weinig schelen dat de mooie Sorbet is gesmolten?' vroeg hij aan zichzelf.

'Ja, het kan me eigenlijk helemaal niet schelen,' antwoordde hij. 'Ze was me toch te koel. Ik ben blij dat ik weg ben uit dat land met die diepvriesdames. En nu ga ik een lekkere kop hete koffie zetten.'

Hij zette het water op en deed de koelkast open om het flesje room te grijpen. Omdat hij de room niet dadelijk vond, boog hij zich vooover en stak zijn hoofd in de koelkast. En toen voelde hij twee ijskoude handen die zich om zijn nek vastgrepen.

'Nu heb ik je,' zei de koude stem van tante Frigitte. 'En ik laat je niet meer los. Je gaat met mij mee terug.'

De kapper stikte haast. Hij proestte en hoestte en gorgelde en rochelde. Met beide handen zette hij zich af aan de deur van de koelkast en toen gaf hij zo'n harde ruk dat hij losschoot en met een klap achteroverviel op de keukenmat. Met zijn voet gaf hij de deur van de kast een zet, zodat die dichtviel.

'Dat was op het nippertje,' zei de kapper en hij had het nu zelf heel warm. Hij dronk zijn koffie zwart en de volgende dag zette hij een advertentie in de krant: Koelkast te koop. Als nieuw.

En tot op de dag van vandaag heeft de kapper geen koelkast in huis. En hij haat alles wat uit de diepvries komt, zelfs tuinboontjes.

Kwade gedachten

MET TEKENINGEN VAN HARRIE GEELEN

'Je moet eens aan trouwen denken,' zei de oude koning tot zijn zoon.

'Met wie moet ik dan trouwen?' vroeg de prins lusteloos.

'Met een mooie prinses,' zei de koning. 'En niet alleen mooi, maar ook goed. Ze mag geen enkele kwade gedachte hebben, nooit ofte nimmer.'

'Zo iemand vinden we immers niet,' zuchtte de prins.

Maar de koning riep zijn kamerheer. Deze had de eigenaardigheid dat hij slechte gedachten kon zien. Hij zag de slechte gedachten als zwarte gevleugelde insecten om de hoofden van de mensen vliegen.

'Luister,' zei de koning tot zijn kamerheer. 'Vanmiddag komen er elf prinsessen op zicht. Wij zullen wel kijken wie de mooiste is, maar jij, m'n waarde kamerheer, jij moet kijken of ze slechte gedachten hebben.'

Zo gebeurde het. 's Middags zaten er elf prinsessen op het gazon. Ze zaten op plastic schommelstoelen en zwegen bedrukt, want ze waren erg zenuwachtig.

'Nu!' zei de koning.

De kamerheer begon bij de eerste prinses, een blonde. 'Bah!' riep hij en hij deinsde achteruit. 'Walgelijk! Horzels om haar heen!'

Bij de tweede riep hij: 'Zwarte torren... wel duizend!' Bij de derde rende hij zelfs verschrikt weg en brulde: 'Woedende wespen... help!' En zo ging het door, het hele rijtje langs. Hij zag om al die mooie hoofdjes afschuwelijke insecten vliegen, dat waren de kwade gedachten van de prinsessen. De koning en de prins stonden erbij. Ze konden de insecten niet zien, maar ze waren vol bewondering voor de knappe kamerheer.

Eindelijk, bij de elfde prinses, stond de kamerheer lang stil. Hij liep om haar heen, keek, luisterde en snuffelde aan haar krullen. 'Niet te geloven,' mompelde hij. 'Geen enkele kwade gedachte. Geen ziertje kwaad bij dit meisje. Ik sta voor haar in.'

'Wel,' zei de koning opgewekt. 'Dan zijn we klaar.' De overige tien prinsessen werden haastig naar huis gestuurd in karossen. Ze kregen allemaal voor 't weggaan nog gauw een stuk cake om hen te troosten, maar ze waren toch diep beledigd, dat kon je zien. En de elfde prinses werd de verloofde van de prins. Ze was ongelofelijk mooi, dat moet gezegd worden. Ze had diepblauwe ogen en kastanjebruine haartjes en ze was zo blank als een porseleinen poppetje.

'Ziezo,' zei de koning en hij wreef zich in de handen. 'Dat is weer voor mekaar. Ben je gelukkig, m'n zoon?'

'Nee,' zei de prins.

'Maar jongen,' riep de koning verschrikt. 'Zo'n mooie verloofde van koninklijken bloede en dan nog helemaal zonder kwade gedachten. Denk eens aan!'

'Tja,' zei de prins, 'het is best mogelijk dat ze geen kwade gedachte heeft. Maar als u het mij vraagt, heeft ze helemaal geen gedachten. Geen kwade maar ook geen goede.'

'Kom, wat hindert dat?' riep de koning luchtigjes. 'Ze wordt later koningin en een koningin hoeft geen gedachten te hebben. Als ze maar kan wuiven achter het raampje van haar rijtuig. Als ze maar kan glimlachen en mooie woordjes uit het hoofd kan leren. Dan hoeft ze helemaal niet te denken!'

De prins zweeg. Die dag ging hij varen met zijn mooie verloofde in een bootje. Ze roeiden langzaam de rivier op. Langs de groene oevers bloeiden overal paarse en gele lisbloemen in de zon.

'Denk je dat er een hemel bestaat?' vroeg de prins.

De prinses keek hem verwonderd aan. Ze zweeg en hij begreep dat ze daar geen gedachte over had. Hij roeide zwijgend verder en ze kwamen langs een oud, armelijk, vervallen hutje dat aan de rechteroever stond.

'Waarom is de ene mens rijk en de andere arm?' vroeg de prins.

Weer keek de prinses hem verbaasd aan. Haar gezicht was mooier dan ooit, maar de prins werd korzelig, omdat hij zag dat ze nooit over die vraag had nagedacht en er ook niet over kón nadenken. Ze had immers nooit gedachten.

'Ik maak het bootje hier even vast,' zei de prins. 'Wacht hier op mij. Ik wil dat hutje vanbinnen bekijken.'

De prinses bleef geduldig zitten en liet het stromende water door haar vingers glijden, terwijl het bootje schommelde aan de kant. Intussen duwde de prins de deur van de hut open.

Daar, op een oude wrakke stoel zat een armzalig gekleed meisje met donkere ogen. Ze was bezig aardappelen te schillen en ze keek verwonderd naar de mooie prins.

'Dag,' zei de prins en hij bleef staan kijken, terwijl zij verder schilde.

'Dag,' zei het meisje.

'Waarom...' zo vroeg de prins. 'Waarom is een bloem mooier dan een mand schillen?'

Het meisje liet haar aardappelmes even rusten en dacht na. Toen zei ze: 'Maar is een bloem mooier dan een mand schillen? Weet je dat wel zeker?'

En de prins keek en vond de mand schillen op haar schoot mooier dan alle bloemen van de aarde. Dat was vreemd, maar hij vond het nu eenmaal en hij wist niet waarom. Hij wist alleen dat dit meisje gedachten had. Hij nam haar zachtjes bij de arm en liep met haar door de groene velden naar huis. De prinses in het bootje was hij totaal vergeten en toen hij met het arme meisje in het paleis kwam, zei hij tot zijn vader die zat te knikkebollen op de troon: 'Vader, dit is mijn bruid. Ze denkt!'

'Maar jongen,' riep de koning verschrikt. 'Je had toch al een bruid? En dit... dit is een vies meisje. Met een aardappelmesje in haar hand! Wat zullen de mensen wel zeggen? En wat een smerige jurk!'

'Dat is te verhelpen,' zei de prins. 'Jurken genoeg op de wereld.'

Intussen was de kamerheer naderbij gekomen. Hij gaf een kreet van schrik toen hij het meisje zag en riep: 'Een hommel! Een dikke bruine hommel vliegt om haar hoofd! Ze heeft een kwade gedachte!'

'Eentje maar?' lachte de prins. 'Waar dacht je aan, liefje?' Het meisje bloosde en zei: 'Ik dacht, wat een dwaze koning die er iets om geeft wat de mensen zullen zeggen!'

'Ziet u wel?' riep de kamerheer driftig. 'Een boze gedachte.'

'Beter dan helemaal geen gedachte,' zei de prins en hij kuste zijn meisje, hoe vies ze ook was. Toen moest ze in bad en onmiddellijk daarna werd de bruiloft gevierd.

De stoet reed langs de rivier en de bruidegom zag tot zijn schrik dat de mooie prinses nog steeds in het bootje zat te wachten. 'Ik was haar vergeten...' riep hij. 'Vraag haar of ze in het achterste rijtuig wil plaatsnemen.'

Zo gebeurde het en de prinses vond het best en dacht er verder niet over na, want ze dacht immers nooit.

De bruiloftsstoet reed naar de kerk en iedereen was gelukkig behalve de kamerheer. Hij sloeg met zijn stok in het rond en bromde: 'Overal insecten in de kerk! Torren en kevers, wespen en blauwe vliegen en giftige bijen... foei... foei!'

Maar niemand trok zich daar een sikkepit van aan.

De reus en de draak

MET TEKENINGEN VAN GERDA DENDOOVEN

'Ook dat nog,' zei de koning, toen zijn dochter door een reus werd geroofd. 'Letterlijk alles zit me vandaag tegen. Waar zit ze?' vroeg hij aan de koerier die het gruwelijke nieuws bracht.

'Op de Borstelberg aan de zee,' zei de koerier. 'Daar staat het kasteel van de reus. De prinses zit in de toren en wordt bewaakt door een draak.'

'Welja, vooruit maar,' riep de koning. 'Een reus én een draak. 't Kan niet op! Het arme kind. Ze was wel erg lastig en ongehoorzaam de laatste tijd, maar dit! Wat doen we hieraan? Laat mijn lijfarts komen.'

'Heb je 't gehoord?' vroeg de koning aan de lijfarts. 'Mijn dochter geroofd door een reus en bewaakt door een draak! Zeg op, wat moet ik doen?'

'Tja,' zei de lijfarts. 'Dit valt buiten mijn bevoegdheid. Ik ben maar een eenvoudig geneesheer en...'

'Onzin,' zei de koning. 'Jij hebt haar beter gemaakt toen ze mazelen had. Verzin nu ook maar een apenkunst.'

'Meestal,' zei de lijfarts, 'meestal looft de koning een beloning uit voor de prins die de draak verslaat. Dat helpt enorm. De prinsen komen bij drommen aanzetten en allicht is er eentje bij die het kan.'

'Goed, dan doen we dat,' zei de koning opgelucht. 'De prins die mijn dochter heel thuisbrengt, mag haar hebben.'

'Plus de helft van het koninkrijk,' zei de lijfarts.

'Dat zullen we nog wel eens zien,' zei de koning. 'Niet zo hard van stapel lopen.'

Diezelfde dag werd het omgeroepen en 's avonds stond er al een prins op de stoep die wel wou.

'Ben je niet een tikje te netjes aangekleed voor de gelegenheid?' vroeg de koning. 'Wou je met die witte handschoenen een draak verslaan?'

'Ik doe ze wel uit op het kritieke moment,' zei de prins blozend. Hij zag er heel prachtig uit met een blauwfluwelen mantel, een wit vest, een broek met strikken en zijn haar was gepermanent.

''t Zal mij benieuwen,' zei de koning toen hij de nuffige prins zag wegrijden. ''k Hoop maar niet dat het hem lukt. Hij is me te fraai.'

Een dag later kwam de prins terug. Hij was roetzwart, vol met schrammen en hij had enkel nog maar blauwfluwelen rafels aan. De reus had hem van de Borstelberg af geblazen, zo vertelde hij en hij was holderdebolder door de borstelige struiken naar beneden gerold.

'Jammer, niets aan te doen,' zei de koning blij. 'Volgende kandidaat.'

De volgende prins was in een harnas. Dat gaf moed, maar hij kwam volkomen ingedeukt terug want de reus had in hem geknepen en hem daarna het ravijn in gegooid. Toen de prins was uitgedeukt, durfde hij niet nog eens.

'Wie volgt,' zei de koning. 'Wat, is er niemand meer?'

'Geen prins meer,' zei de lijfarts. 'Geen enkele prins durft meer. Maar hier is een arme jongen die wel wil. Hij heet Joris.'

'Joris is een goede naam, als er draken in het spel zijn,' zei de koning. 'Kom eens hier, Joris. Heb je een zwaard?'

'Nee sire,' zei de jongen.

'Een lans dan?'

'Nee sire.'

'Wat heb je dan?'

Joris haalde zijn zakken binnenstebuiten en zei: 'Een groen krijtje. Daar was ik toevallig mee aan 't spelen. Meer heb ik niet.'

'Zal ik je een volledige wapenrusting geven?' vroeg de koning.

'Ach nee,' zei Joris. 'Ik ga zo wel. Ik ben niet zo handig met zwaarden en lansen.'

'Nou, ik heb er een hard hoofd in,' zei de koning. 'Maar je moet het zelf weten, ik hou je niet tegen. Dag Joris.'

Daar ging de jongen, op z'n dooie eentje de Borstelberg op. Het was een moeilijke klimpartij tussen prikkelstruiken, maar na een paar uur stond hij hijgend boven en liep meteen tegen de blote benen van de reus aan die bezig was zijn tuintje te wieden.

'Aha,' zei de reus en pakte hem beet tussen duim en wijsvinger. 'Daar hebben we nummer drie. Wou jij de prinses komen bevrijden, misselijke miezerd?'

'Helemaal niet,' zei Joris. 'Ik was enkel verdwaald en ik weet niets van prinsessen.'

'O nee?' vroeg de reus en hij ging erbij zitten en zette Joris op z'n knie, terwijl hij hem nog altijd stevig vasthield. Je kunt de prinses daar zien zitten, voor 't venster in de toren. En zie je de draak?'

'Ik zie 'm,' zei Joris. 'Wilt u alstublieft niet zo hard knijpen? Ik praat niet zo makkelijk als iemand mij tussen zijn vingers fijndrukt.'

'Ha ha,' lachte de reus en hij hield hem minder stijf vast. 'Wat zal ik eens met je doen? Ik kan je naar beneden smijten, maar daar is zo weinig aardigheid aan.'

'Helemaal geen aardigheid,' zei Joris.

'Ik zou je vanavond in de zuurkool kunnen meekoken,' zei de reus. 'Wacht, ik heb hier een ouwe vogelkooi, daar stop ik je zolang in.' Hij deed Joris in de kooi en zwaaide hem zachtjes heen en weer. Toen begon hij weer te bulderen van plezier.

Joris lachte hard mee en zei toen: 'Hè, hè, is dat lachen! Ze hebben gelukkig gejokt. Het is niet waar wat ze allemaal zeggen.'

'Wie,' vroeg de reus.

'De mensen beneden,' zei Joris. 'Ze zeggen immers allang dat u ziek bent?'

'Ik ziek?' zei de reus. 'Nou, 't is niet waar, zoals je ziet. Ik ben zo gezond als een hoen.'

'Dat zie ik,' zei Joris. 'De idioten zeiden dat u al aardig groen begon te worden, maar niks hoor.'

'Groen?' vroeg de reus. 'Hoezo groen?'

'Nou, van de walmziekte natuurlijk,' zei Joris. 'Iedereen weet toch dat de adem van een draak zo gevaarlijk ongezond is. Daar krijgt men immers de walmziekte van? En dan krijg je groene vlekken, dat spreekt vanzelf. Maar bij u is daar nog niets van te zien.' En intussen keek Joris met gefronste wenkbrauwen naar de blote knie van de reus.

De reus volgde zijn blik. Op zijn knie zaten een heleboel groene spikkels. Hij probeerde ze er met zijn mouw af te vegen, maar de vlekjes gingen niet weg. Het krijtje van Joris was een bijzonder goed krijtje, weet je, en hij had de spikkels daar stevig gezet, zonder dat de reus er iets van had gemerkt.

'W-w-wat is d-d-dat?' stotterde de reus. 'Groene vlekken? Dus het begint?'

''t Is nog helemaal niet erg,' zei Joris geruststellend. 'U hebt nog echt wel een maand te leven. Als de draak er niet was, zou u zelfs nog een halfjaar kunnen leven, maar ja, het arme dier kan ook niet helpen dat zijn adem giftig is. U kunt toch moeilijk uw eigen draak doodsteken?'

'Kan ik dat niet?' brulde de reus. Je zult eens wat zien! Denk je dat ik me door dat monster laat vergiftigen?'

Hij rende zijn kasteel binnen, kwam terug met een geweldige speer en stormde op de draak af.

Joris zat in de kooi en keek tussen de spijlen door naar het machtigste schouwspel dat hij zich kon denken: een gevecht tussen de reus en de draak.

De draak snoof en blies en stootte vurige wolkjes gele stoom uit en er kwamen vlammetjes uit zijn geweldige muil. Hij wrong zijn groene schubbenlichaam en sloeg zwiepend met zijn staart en beet in 't rond met zijn drakentanden, terwijl de reus om hem heen draaide en probeerde hem te treffen.

'Hoera! Toe dan! Hup Holland!' schreeuwde Joris in z'n kooi. Het sloeg nergens op, maar hij kon niets beters verzinnen.

De reus was nu op een afstand gaan staan en kwam aanrennen met zijn speer. Het was verschrikkelijk om te zien, de draak kronkelde in soepele bochten, maar de speer trof hem midden in het hart en daar lag het bloederige gruwelbeest met de tong uit de bek. Morsdood.

'Nou?' zei de reus hijgend. 'Heb je 't gezien?'

'Bravo!' juichte Joris en klapte in zijn handen. 'Wat een held bent u toch. En nu de draak dood is, kunt u makkelijk nog zes maanden leven. Makkelijk. Misschien wel zeven.'

'Niet langer?' klaagde de reus en ging bedroefd zitten met zijn hoofd in de handen. 'Ik wil nog honderd jaar leven.'

'Dat wil iedereen,' zei Joris. 'Maar de walmziekte is nu eenmaal dodelijk. En geen mens kan bij het witte dragonkruid komen, zelfs een reus niet.'

'Wat, wat, witte dragonkruid, waar heb je 't over?' vroeg de reus.

'Het groeit daar,' zei Joris en hij wees naar de zeekant waar de rotsen steil afdaalden in zee. 'Als u me loslaat, wil ik wel eens voor u zoeken.'

'Loslaten, hè?' riep de reus woedend. 'Ik heb je door, broer, dan ga je ervandoor en ik moet na zeven maanden sterven. Ik weet wat beters, ik neem je mee in mijn hand en jij wijst me dat witte dragonkruid aan.'

Hij nam Joris uit de kooi en stapte op de hoogste punt van de steile rotsen. 'Als ik val, val jij ook,' zei hij grijnzend.

'U moet daar op die klip gaan staan,' zei Joris. De reus deed het. 'Ziet u daar die witte bloemetjes tussen die twee stenen? Dat is het.'

De reus bukte zich en begon te reiken, maar hij kon er net niet bij. 'Doe het liever met de andere arm,' zei Joris. 'Met de hand waar ik in zit. Dan zal ik voor u reiken.' De reus deed het.

'Goed zo,' riep Joris. 'Nog eventjes verder, nog heel eventjes verder, toe dan.'

'Zo?' hijgde de reus die nu helemaal vooroverhing.

'Ja!' schreeuwde Joris en beet hem hard in de duim.

'Au!' gilde de reus. Van schrik liet hij de jongen vallen die in een struik vlak onder hem terechtkwam. Zelf verloor hij het evenwicht en stortte van de steile rotsen met een vreselijk grote plons in zee. Het water spatte honderd meter op en de reus verdronk.

'Dat was dat,' zei Joris die op zijn gemak naar boven krabbelde. Hij had enkel een paar blauwe plekken en kalm liep hij naar de toren om de prinses te halen.

'Geen prins?' zei de prinses verbaasd. 'Niet eens een ridder?'

'Als je nog meer praatjes hebt,' zei Joris, 'dan laat ik je hier zitten en je ziet maar dat je thuiskomt.'

'Nee, nee,' riep de prinses haastig. 'Breng me alsjeblieft thuis.' Joris nam haar over zijn schouder en daalde de berg af.

'Wie hebben we daar?' riep de koning stralend, toen ze aankwamen. 'Mijn lieve dochter! Nu moet je met hem trouwen, dat heb je zeker wel begrepen?'

'Ja,' zei de prinses. 'En ik wil wel.'

Direct de volgende woensdag werd de bruiloft gehouden en er kwam zo'n groot vuurwerk dat de mensen er nog altijd over spreken.

Lakentje met een kroontje

MET TEKENINGEN VAN PHILIP HOPMAN

Je weet dat de kindertjes vroeger door de ooievaar werden gebracht. Het ging voortreffelijk, want er werden toen nog niet zoveel kindertjes geboren als tegenwoordig en één ooievaar was genoeg. Die ene ooievaar heette Frederiks.

Frederiks had het razend druk, dat begrijp je wel. Hij viste de kindertjes uit een vijver, de geboortevijver ergens ver weg in het zuiden. In die vijver zat elke baby aan een groen steeltje en wachtte slaperig tot de ooievaar hem plukte.

Jarenlang ging het goed. Maar toen werd de wereld te vol en te druk. Er kwamen telkens meer ouders die kindertjes bestelden. Frederiks maakte afschuwelijke vergissingen. Soms bracht hij een kind bij een oud dametje, dat verschrikt achteruitdeinsde, soms bracht hij er eentje bij de pastoor. Een keer bracht hij een klein Chineesje bij een mevrouw in Overschie. 'Dat heb ik niet besteld, ooievaar!' zei de mevrouw snibbig.

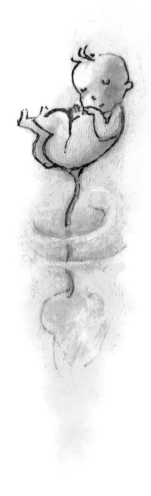

'Ach mevrouw,' zei Frederiks zuchtend, 'm'n hoofd loopt om, maar ik zal het voor u ruilen.'

Toen de boel helemaal in het honderd liep, besloten de mensen om een kindertjeskantoor te vestigen vlak bij de vijver. Er werd een directeur benoemd die alle adressen keurig bijhield op witte kaartjes. Zevenendertig ooievaars werden aangesteld die hun vaste vliegroutes hadden en zich stipt aan het vliegschema hielden.

Op een dag riep de directeur de oude ooievaar Frederiks bij zich en zei: 'Luister, Frederiks. Ik zie hier dat er vandaag een baby moet worden afgeleverd bij de hertog van Organzia. Het is dus een hooggeboren baby en ik moet er een betrouwbare ooievaar voor hebben die zijn werk prima verstaat.'

'Ik wil het graag zelf doen,' zei Frederiks. 'Niemand is betrouwbaarder dan ikzelf. U moet rekenen, ik doe het al vijfentwintig jaar.'

De directeur keek weifelend naar de oude ooievaar die voor hem stond. Z'n ogen stonden een beetje dof, de zwarte veren van zijn vleugels waren wat vaal en groenig als een kale geklede jas, maar z'n poten waren nog rood en stram.

'Het wordt een moeilijke tocht,' zei de directeur. 'Organzia ligt achter hoge bergen.'

'Ik ben gewend aan de hoogste Alpentoppen,' zei Frederiks bescheiden.

'Ik wil het kindje niet helemaal bloot sturen,' zei de directeur. 'Je weet dat we vorstelijke kinderen altijd een uitzetje meegeven. Wat kleertjes en een gouden rammelaar... een zilveren kroes en een servetring, bij elkaar twee koffers.'

'Het kind neem ik aan z'n lakentje in mijn snavel,' zei Frederiks. 'En dan neem ik aan elke kant van mijn rug een koffer. Ik heb het al zo vaak bij de hand gehad. Bij de keizer van China, bij de keizer van Japan, bij de sultan van...'

'Juist ja,' onderbrak de directeur hem haastig. 'Nou akkoord dan Frederiks, het is het derde kind rechts in de vijver en de koffers staan klaar.'

Een uur later vloog Frederiks al boven de Adriatische Zee. In zijn snavel hield hij een bundeltje; dat was het kind in een geborduurd lakentje gebonden. Aan een riem over zijn rug hingen de koffers, aan elke kant een. Hij vloog snel, regelmatig en veerkrachtig. Pas toen hij boven de bergen kwam, werd zijn vaart minder want er kwam slecht weer.

Het begon te waaien en er vielen vlokken. De wind werd een sneeuwstorm die huilend over de rotsen joeg en met ijzige rukken probeerde de arme ooievaar uit z'n koers te drijven. Verblind door de sneeuw vloog hij verder, zijn lange rode benen waren versteend van kou, zijn rafelige veren zaten vol ijs en hij werd in de lucht heen en weer gesmeten en op en neer gemept als een kinderballon. Daar heb je het gedonder, dacht Frederiks. Dat wordt een noodlanding. Maar misschien kan ik de hoofdstad van Organzia nog bereiken, het is niet meer dan een uur vliegen. En hij hield vol, ook al rukte de storm het bundeltje haast uit zijn snavel, hij vloog door want o, wat hadden die ouderwetse ooievaars een plichtsgevoel!

Eindelijk zag hij vlak onder zich de stad liggen, maar toen was hij ook duizelig, misselijk en wanhopig. Door de sneeuwstorm merkte hij de kerktoren niet op, hij vloog er met een akelige klap tegenaan en daar fladderde Frederiks als een zielig hoopje veren naar beneden. Hij gaf een schreeuw en het kindje viel van veertig meter hoog, het tuimelde, tuimelde, tuimelde en het zou zeker morsdood gevallen zijn, als het niet op de binnenplaats van een bakkerij was neergeko- men, midden in een teil met deeg. Daar lag de baby dan in het zachte deeg te krijsen als een wild varkentje.

'Mijn hemel, er valt een kind uit de lucht,' zei de bakkersvrouw en ze holde naar bui- ten om het schepseltje te halen.

'Wat een mooi kind,' zei de bakker toen ze ermee binnenkwam. 'Zoiets hadden we allang willen hebben, is het niet?'

'Jazeker,' zei de bakkersvrouw, 'maar kijk eens naar het lakentje. Er staat een kroontje op geborduurd. Het is een vorstenkind, waar- schijnlijk voor de hertog!'

'Bedoel je dat we het naar de hertog moeten brengen?' vroeg de bakker.

'Ach...' zuchtte de bakkersvrouw, 'laten we het stilletjes hier houden. We zullen het verstoppen.'

Juist op dat ogenblik liep de hertog van Organzia in zijn slaapvertrek heen en weer, keek telkens op zijn klok en zei: 'Die ooievaar had allang hier moeten zijn.'

'Kijk nog eens of hij er soms aankomt,' zei de hertogin, die een beetje ziek op de sofa lag.

De hertog ging op het balkon staan en keek uit over het dal. De sneeuwstorm was geluwd, de zon brak door, hij zag de velden en de bossen en de stad met de kerktoren, maar geen ooievaar. Het werd avond en het werd nacht en er gebeurde niets, maar de volgende ochtend kwam er een ruiter uit de stad met een brief voor de hertog. In die brief stond dat de ooievaar met een gebroken poot in het hospitaal lag.

De hertog ging er onmiddellijk heen. Hij vond de ooievaar in een van de bedden op de ziekenzaal, helemaal in verband en met z'n poot omhoog.

'Waar is mijn kind...' begon hij driftig, maar de verpleegster legde een vinger op haar lippen en zei: 'Niet te hard, hoogheid, hij is gewond en zeer zwak.'

'Waar is mijn kind,' fluisterde de hertog.

Frederiks sloeg vermoeid de ogen op en zei: 'Sneeuwstorm... bergen.'

'Is mijn kind in de bergen gevallen?' vroeg de hertog.

'Nee,' stamelde Frederiks. 'Hier in de stad. Tegen torenspits gevlogen. Nog nooit gebeurd... altijd plicht gedaan, altijd trouwe ooievaar geweest...'

'Jaja,' zei de hertog ongeduldig, 'maar is mijn kind hier in de stad neergestort?'

Frederiks knikte.

'Dan is het dood,' zei de hertog met een snik. 'Maar dood of levend, het moet gevonden worden. Ik laat onmiddellijk de stad doorzoeken.'

Dertig flinke soldaten gingen op zoek naar de gevallen baby. Ze vonden wel de twee koffers die bij het vallen waren opengescheurd. Overal in de straatjes lagen kanten hemdjes en zijden luiers, maar het kind zelf was niet te vinden.

'Doorzoek de huizen,' beval de hertog.

De dertig soldaten doorzochten ieder huis. Ze zochten bij de notaris en bij de burgemeester en bij de smid. Ze snuffelden bij alle mensen in de kelder, op zolder, achter de trap en in de gootsteenkastjes. Ze zochten bij de melkboer tussen de kazen en ze zochten ook bij de bakker.

'Misschien in de oven?' zei een soldaat.

Ze openden de oven, maar er sloegen rode vlammen uit en ze begrepen dat het kind daar niet verborgen kon zijn. Ze stommelden de trap op en zochten op de zolder van de bakker. Daar lag een kat met jonkies en hoog in de balken hing een papegaai in een kooi te vloeken en te krijsen.

'Hier ook niet,' zeiden de soldaten, maar toen ze weg waren, haalde de bakkersvrouw het kindje uit de papegaaienkooi waar het had liggen slapen onder een laagje maïs. Ze legde het in een warm bedje, gemaakt van een kartonnen doos.

'Dat lakentje moet je verbranden, hoor,' zei de bakker. 'Als iemand dat ziet, zijn we verloren.'

'Goed,' zei de vrouw. Ze nam het lakentje om het in de oven te verbranden, maar toen ze naar het mooie geborduurde kroontje keek, vond ze het zo jammer dat ze het netjes opvouwde en in de linnenkast legde.

Zo bleef het kindje bij de bakker en zijn vrouw. Niemand merkte het. Alleen de bakkersknecht Pieter stond in de bakkerij wel eens te luisteren en zei: ''t Lijkt wel of ik een kind hoor schreeuwen.'

'Dat is de papegaai,' zei de bakker. 'Die schreeuwt als een kind.'

In het kasteel van de hertog was het een en al droevigheid en rouw. De hertog had een prijs uitgeloofd van honderdduizend gulden voor de vinder van het kind, dood of levend. Maar niemand, niemand vond het kind.

Een week of zes later was de bakkersknecht Pieter bezig hout te hakken voor de oven. Hij raakte per ongeluk zijn pols met de scherpe bijl en het bloedde erg. 'Help!' riep Pieter, maar de bakker en zijn vrouw stonden in de winkel en hoorden hem niet. Toen liep Pieter naar de linnenkast en greep een doek om het bloed te stelpen. 'Mirakel...' zei hij, 'een lakentje met een kroontje!'

Hij herinnerde zich het kindergehuil en sloop de trap op naar de zolder.

'Dacht ik het niet...' mompelde hij. 'En wacht 's even... honderdduizend gulden... die zal Pietertje eventjes opstrijken!'

Hij liep met het lakentje in zijn hand naar het kasteel. 'Bij de bakker op zolder ligt de baby,' zei hij.

Een halfuur later stonden de arme bakker en zijn vrouw met gebogen hoofden voor de hertog in het kasteel.

'Jullie zijn schuldig aan een ernstig misdrijf,' zei de hertog bars. 'Ik moet jullie laten ophangen. In het openbaar op het marktplein. Overmorgen.'

De bakkersvrouw begon te snikken en de bakker wrong zijn witbemeelde handen.

'Wacht even, liefste,' zei de hertogin, die het kindje in haar armen wiegde. 'Waarom hebben jullie het kind gehouden?' vroeg ze. 'Je had er immers honderdduizend gulden voor kunnen krijgen?'

'We hadden zelf geen kinderen,' schreide de bakkersvrouw. 'En omdat dit kindje zo lief was...'

'Hoor je dat?' vroeg de hertogin. 'Ze zijn dol op ons kind. Moet je mensen laten ophangen, omdat ze dol zijn op ons kind?'

'Hm… br… hmm,' hoestte de hertog en wist niet wat hij verder moest zeggen.

'Ik weet iets beters,' zei de hertogin. 'We houden van verse broodjes. Kom bij ons als hofbakker en hofbakkersvrouw. Zorg voor goed brood en je mag elke dag een uur met de baby rijden.'

En zo gebeurde het.

Op het kindertjeskantoor stond Frederiks de ooievaar stram in de houding voor de directeur. 'Je hebt nu de pensioengerechtigde leeftijd bereikt,' zei de directeur. 'Het is beter dat jongere ooievaars jouw werk overnemen. Maar voor vijfentwintig jaar trouwe dienst benoem ik je hierbij tot ridder in de Orde van de Navelband.' Hij speldde Frederiks een gouden medaille op de borst.

'Au,' riep Frederiks, want het ging dwars door zijn veren heen.

Maar hij was trots en heel gelukkig.

Nog één kindje mocht hij brengen. Hij zocht zorgvuldig in de vijver het kind uit met het allerlelijkste karakter en dat kind bracht hij bij de bakkersknecht Pieter.

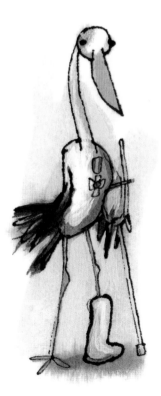

En toen... werden ze kikvorsen

MET TEKENINGEN VAN ANNEMARIE VAN HAERINGEN

Er was eens een graaf, die zó rijk was, dat hij alle vliegmachines van de wereld had kunnen kopen. Hij deed het niet, want er waren toen nog geen vliegmachines. Het is namelijk heel, heel lang geleden.

Hij woonde in een slot, met een slotpark eromheen en dáár-omheen weer een slotgracht. In het slot was alles van goud, zelfs de handdoekenrekjes en de paraplustandaard en de jampot.

De graaf en de gravin waren allebei verschrikkelijk voornaam, en geen wonder ook als je een gouden jampot hebt.

De enige, die niet zó voornaam was in het slot, dat was Annètje, het dochtertje. Ze was alleen maar lief en ze hield het allermeest van haar konijnen, die in een hok in het park zaten en dat hok was het enige ding in de omtrek dat niet van goud was.

Op een dag was de kok in de keuken bezig kroketjes te maken met een gouden schuimspaan en een gouden koekenpan. Hij liep druk heen en weer en plotseling, toen hij de deur van de provisie-kast opendeed, zag hij daar een allergekst klein ventje, bezig van de krenten te snoepen. Hij had een geel jasje aan en een groen broekje en had het zo druk met snoepen, dat hij de kok niet eens opmerkte.

'Zo, ben jij van de krenten aan het snoe-pen,' zei de kok boos. Hij pakte het ventje beet en bracht hem naar de graaf.

'Wel, wel,' zei de graaf, 'dat is een dwergje, hoe komt die nu hier in mijn slot. Wat kom jij hier doen, kleine snuiter?'

'Ik ben Archibald,' zei het dwergje, 'ik kwam hier per ongeluk bin-nen en ik zal het nooit meer doen. Laat me alsjeblieft los.'

'Nee,' zei de graaf, 'dwergen die van de rozijnen snoepen, laten wij niet meer los. Kok, zet deze kleine man achter slot en grendel, zet hem in het konijnenhok van Annètje!'

Het dwergje Archibald begon te schreeuwen dat het een aard had, maar het hielp hem niets. Hij moest in het konijnenhok en de kok deed een gouden slot op het deurtje. De konijnen keken hem verbaasd aan, maar nog verbaasder was Annètje, toen ze kwam om de konijnen eten te geven. 'Wie ben jij,' zei ze door de tralies heen.

Archibald zat te snikken in een hoekje. 'Ik wil eruit,' zei hij, 'ik ben Archibald de dwerg.' Annètje peuterde met haar vingertjes aan het slot, maar ze kon het niet openkrijgen.

Toen ging het dwergje Archibald voor de tralies staan en zei: 'Luister eens, meisje, zeg maar tegen je pa dat ik jullie allemaal in kikvorsen zal veranderen als je me hier niet uit laat.'

Ai, wat schrok Annètje toen. Ze holde naar haar vader de graaf en vertelde wat het dwergje gezegd had.

'Onzin,' zei de graaf, 'dat durft hij toch niet, stel je voor, de graaf en de gravin in kikvorsen veranderen. Nee hoor, we laten hem niet los.' Annètje ging treurig terug naar het konijnenhok.

'Lieve Archibald,' zei ze, 'ik zou je dolgraag loslaten, maar het kan niet en mijn vader wil het niet.'

'Goed,' zei Archibald. Hij blies op een heel klein fluitje en daar kwamen opeens honderden dwergjes aan, precies als hij met gele jasjes en groene broekjes. Met z'n allen namen ze het konijnenhok met Archibald erin en droegen het weg.

Annètje ging langzaam naar huis terug en toen ze de kamer van haar vader binnenkwam, zat er een grote dikke groene kikvors, die droevig kwaakte. Ook de gravin zat te kwaken in haar bed en ook de bedienden en ook de kok, iedereen kwaakte en was groen. Allemaal waren ze in kikvorsen veranderd. Toen had niemand meer iets aan het grote slot met al die gouden dingen en ze sprongen dan ook maar kwakend de slotgracht in.

De kleine Annètje bleef helemaal alleen over in het grote slot.

Daar zat ze nu en huilde, huilde. 'Archibald,' riep zij, 'lieve Archibald, kom alsjeblieft terug.'

En werkelijk, daar stond het kleine mannetje ineens in de kamer en keek haar wantrouwend aan.

'Archibald,' zei Annètje, 'nu heb ik geen vader en geen moeder meer. Ze zitten allebei in de slotgracht. Ik ben toch nooit akelig tegen je geweest, ik wou je toch eerlijk eruit laten. Och, lieve Archibald, tover ze alsjeblieft weer terug.'

'Nou goed dan,' zei Archibald, 'omdat jij zo'n lief meisje bent.' Hij zwaaide met zijn handjes in het rond en mompelde een toverspreuk. 'Zo,' zei hij, 'nu zullen ze wel gauw terugkomen. Dag Annètje' en weg was Archibald, maar na een paar minuten kwam hij heel eventjes nog terug en keek naar alle gouden voorwerpen in de kamer.

'Lorrenboel,' zei hij. 'Niets waard.' Toen verdween hij voorgoed.

Over het slotpad kwam een druipende stoet aan. Ze waren weer in mensen veranderd en uit de slotgracht gekropen met sliknatte haren en kleren, en o, wat waren ze blij!

Toen ze allemaal een beetje waren opgedroogd, zei Annètje: 'Alle gouden dingen zijn betoverd.' En werkelijk, al die dure dingen van goud waren in steen en ijzer en hout veranderd, dat had het dwergje Archibald toch eventjes nog gedaan.

De graaf en de gravin waren een stuk minder voornaam geworden nu ze geen gouden handdoekenrekjes meer hadden en geen gouden jampot, maar achteraf beschouwd was dat maar goed ook, nu konden ze gezellig mee stoeien met Annètje, nu ze niet meer zo deftig waren. Annètje kreeg een nieuw konijnenhok en iedereen was gelukkig en tevreden.

Het beest met de achternaam

MET TEKENINGEN VAN JAN JUTTE

Er was eens een klein boerenmeisje. Iedereen noemde haar Pietepeut, omdat ze zo voorzichtig was. Ze liep altijd heel langzaam en keek voortdurend naar beneden om te zorgen dat ze niet op een bloem of op een kever trapte, want ze kende alle plantjes en alle dieren in het grote bos.

'Pietepeut,' zeiden de mensen, 'ga toch niet door het bos naar school. Ga toch liever over de grote weg. Er woont een afschuwelijk monster in het bos. Het is het beest Van Dalen. Het beest met de achternaam! Weet je dat dan niet?'

'Ik heb het beest nooit gezien,' zei Pietepeut. 'Maar ik ben niet bang om hem te ontmoeten.' En ze bleef bij haar gewoonte; ze ging iedere dag door het woeste wilde bos.

'Pietepeut,' zeiden de mensen, 'de koning heeft een prijsvraag uitgeschreven. Hij die het beest met de achternaam vangt, krijgt de helft van het koninkrijk en mag met de prinses trouwen. Zie je nu wel, dat het gevaarlijk is om door het bos te gaan? Geloof je het nu?'

'O, maar ik ben niet bang,' zei Pietepeut en ze ging weer door het bos. Juist toen ze in de buurt van de bosvijver kwam, hoorde ze een enorm gebrom en gesnuif en geschreeuw. Ze keek op en ze zag iets door de lucht zweven dat met een ontzaglijke plons in de vijver terechtkwam, zodat het spatte naar alle kanten.

Pietepeut keek nieuwsgierig naar de kringen in de vijver en zag toen een jongeman die proestend uit het water opdook. Hij zwom naar de oever en Pietepeut gaf hem een handje om aan wal te komen. 'Wat is er gebeurd?' vroeg ze.

'Hij gooide me hoog in de lucht...' hijgde de jongeman. 'Op zijn horens... het beest met de achternaam. Oef, wat een monster! Het beest Van Dalen.'

De volgende morgen, toen Pietepeut door het bos liep, hoorde ze weer een ontzettend lawaai. Ze keek naar boven en jawel hoor... daar vloog weer een andere jongeman door de lucht. Met een he-

vig gekraak kwam hij in de kruin van een oude eik terecht, waar hij kreunend in bleef zitten. 'Het beest Van Dalen...' riep hij. 'Het beest met de achternaam! Hij heeft me wel dertig meter de lucht in geworpen. Het is een afgrijselijk monster!'

Nu durfde er niemand meer het bos in, behalve Pietepeut die rustig haar gangetje ging, altijd langzaam en altijd met het hoofdje naar beneden. Op een dag ging ze zitten aan de oever van de bosvijver en haalde een boterham uit haar schooltas. Het was een bruine boterham met kaas en peinzend begon Pietepeut te eten; de kruimels vielen om haar heen op het gras.

'Niet op mijn hoofd alsjeblieft,' zei een klein stemmetje naast haar. Pietepeut keek opzij om te zien wie daar tegen haar sprak. Het bleek een lief wit bloemetje te zijn; er lag een kaaskorstje bovenop.

'O pardon,' zei Pietepeut en haalde het kaaskorstje weg.

'Dank je,' zei het bloemetje.

'Heb jij het beest met de achternaam wel eens gezien?' vroeg Pietepeut.

'Natuurlijk,' zei het bloemetje. 'Hij is familie van me.'

'Nee toch,' zei Pietepeut verwonderd.

'Zeker. Ik ben toch immers het bloemetje met de achternaam?'

'Natuurlijk,' riep Pietepeut. 'Wat dom van me om daar niet aan te denken. Jij bent het lelietje Van Dalen. En je kent dus het beest Van Dalen goed?'

'Nou goed...' zei het lelietje. 'Erg goed niet. Maar ik weet bepaalde dingen van hem. Ik weet dat hij woedend wordt als iemand hem aanvalt. Ik weet dat hij razend wordt als al die mannen hem proberen te vangen.'

'Dat weet ik ook,' zei Pietepeut. 'Ik heb ze de lucht in zien vliegen. Nou en of!'

'Maar ik weet nog meer,' zei het lelietje Van Dalen. 'Ik weet dat hij gaat huilen als je treurige liedjes voor hem zingt. Hij is dan als een lammetje zo zoet en je kunt hem aan een dun touwtje meevoeren, waar je maar wil.'

'Dank je,' zei Pietepeut. 'Ik zal het onthouden.' Ze pikte de laatste kruimeltjes uit het papier en at ze op. 'Tot ziens,' zei ze en ging naar school.

En het was die middag, toen ze naar huis ging,

dat ze plotseling in het bos tegenover het beest Van Dalen stond. Omdat Pietepeut altijd naar beneden keek zag ze eerst zijn poten. Het waren ontzaglijke grote harige poten met scherpe klauwen.

Langzaam hief Pietepeut haar hoofdje en zag zijn lijf. Het was een monsterachtig groot lijf, zeker zo groot als dat van een olifant en helemaal bedekt met grof roestkleurig haar. Toen legde ze haar hoofdje in de nek en zag zijn kop. En die kop was het griezeligste. Hij had drie horens en een wijdopen bek met vlijmscherpe tanden. Hij had grote snorren als een tijger en een gerimpelde neus als een kwade hond. Zijn ogen waren woedend. Hij brieste en sperde zijn muil open. Het was duidelijk dat hij van plan was helemaal niets van Pietepeut over te laten.

Trillend stond ze voor hem, maar ze herinnerde zich heel goed wat het lelietje Van Dalen had verteld. En met een bevend stemmetje begon Pietepeut te zingen. 'Lammetje loop je zo eenzaam te dwalen...' zong ze. 'Over de hei-ei, over de hei...'

Het was een liedje dat haar moeder vroeger voor haar zong, toen ze nog veel kleiner was. Ze had er toen altijd om gehuild, omdat het zo'n treurig liedje was.

Wel wat bibberig, maar met een helder stemmetje zong Pietepeut het hele liedje uit en het grote beest Van Dalen deed zijn bek dicht en luisterde. Zijn ogen werden treurig en er droppelden grote tranen over zijn ruige wangen.

Toen het liedje uit was, begon Pietepeut opnieuw en ze haalde ondertussen een touwtje uit haar zak en bond dat om de hals van het beest met de achternaam.

Zingend voerde ze hem achter zich aan en hij liep gewillig mee, als een lam. Zingend ging Pietepeut met het beest het bos uit, door het dorp.

'Help... het beest Van Dalen!' gilden de mensen en ze vluchtten op de daken.

Maar Pietepeut liep rustig en steeds zingend verder tot ze bij het paleis kwam waar iedereen zich verstopte onder de gouden stoelen en achter de vergulde kasten. Iedereen, behalve de koning.

'Mijn kind,' zei hij ontroerd. 'Je hebt het beest met de achternaam gevangen.'

'U mag hem niet doodmaken,' zei Pietepeut gauw.

'Nee,' zei de koning. 'Ik zal hem een park geven voor hem alleen. En jij krijgt de helft van het koninkrijk en je mag met de prinses trouwen.'

'Wat een onzin,' zei Pietepeut. 'Ik ben toch een meisje.'

'O ja,' zei de koning, 'dat is waar ook. Nou goed, dan mag je met de prins trouwen.'

'Eerst zien,' zei Pietepeut. En toen ze de prins zag, zei ze: 'Oké.'

En zo werd Pietepeut koningin en het beest Van Dalen woonde in een eigen park achter het paleis. Elke dag zong koningin Pietepeut voor hem, over het lammetje. Het beest kreeg dan tranen in

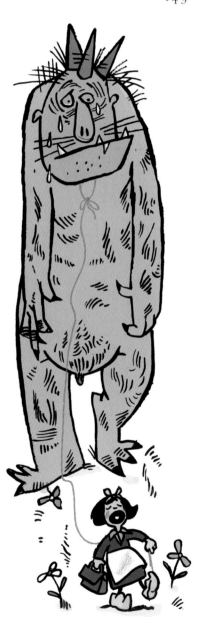

de ogen en legde zijn lelijke kop op haar schoot. En zowel de jonge koningin als de jonge koning hielden meer van hem dan van al hun ministers bij mekaar. En dat wil wat zeggen.

Snort Piepenga redt vader muis

MET EEN TEKENING VAN SIEB POSTHUMA

'Kom,' zei vader Piepenga, 'het is erg stil in huis, ik geloof dat het nu wel avond is. Ik ga maar eens op tournee.' Hij zei altijd: 'Ik ga op tournee,' en dan bedoelde hij: 'Ik ga op roof uit,' maar dat klonk niet zo deftig. Vader Piepenga was een grote grijze muis en zijn vrouw en twaalf kindertjes waren ook muizen, dat spreekt vanzelf.

Ze woonden in een heerlijk ruim hol, erg afgelegen, 't was op de zolder, maar zo veilig, er waren daar geen katten en ander gespuis en er kwam maar heel zelden een mens. Maar... er was weinig te eten daar op zolder. Een oude mat, nou ja, daar at je een beetje van voor de sport, maar niet voor het lekker. Dus moest vader wel iedere avond op tournee. Hij wist precies de weg door het huis, langs allemaal geheime gangetjes en holletjes, achter het behang, door een gat in de huiskamerkast en daar vond hij altijd wel wat. Soms bracht hij een stuk kaas mee of een eindje worst, dan was het groot feest. Soms was het alleen roggebrood, maar moeder Piepenga zei altijd: 'We moeten dankbaar zijn met alles, en roggebrood is beter dan mat.' Zo werden de kleine Piepengaatjes opgevoed en dat is heel juist.

Deze avond was het dus weer zo. Vader ging op tournee en moeder en de kinderen gingen een spelletje doen. Ze hielden elkaars staarten vast en liepen in een kring, hard achter elkaar. Onderwijl zongen ze het bekende muizenjeugdlied:

'Wij muizen zijn zo blij, want we weten:
straks komt vader weer terug met eten.'

Ze zongen het telkens en telkens weer en draaiden steeds maar in de rondte, totdat moeder opeens zei: 'Kinderen, wat blijft vader lang weg! Er zal toch niets gebeurd zijn?'

'Welnee moeder,' zei Snort, de oudste jongen, 'er is vast niets aan de hand.' Maar moeder werd steeds ongeruster en vader kwam maar niet. Totdat ze eindelijk zei: 'Snort, jongen, je moet eens gaan

kijken. Wees heel voorzichtig, blijf zoveel mogelijk achter het behang, maar ga eens kijken waar vader blijft.'

En daar ging Snort, hij was erg trots dat hij het mocht doen.
Voorzichtig sloop hij naar de huiskamer. Eerst kwam hij door een
geheim gangetje in de etenskast terecht, maar daar was vader niet.
Toen zocht hij naar een gaatje om in de kamer te komen en na
lang zoeken vond hij dat gaatje, vlak bij de grond. Hij keek links en
rechts, of hij geen poezen zag. Nee, de kust was veilig. Toen trip-
te Snort over de vloer van de huiskamer, totdat hij ineens stokstijf
bleef staan. Daar was vader. Hij zat in een val.

'Ben je daar, Snort,' riep hij zenuwachtig. 'Ja, vader,' zei Snort
en begon te huilen. 'Je moet niet huilen, Snort,' zei vader Piepenga.
'Help me liever. Ik heb allang in de gaten hoe het werkt. Stom, dat
ik erin gelopen ben, maar er lag zo'n lekker stuk spek. Het deurtje is
dichtgeklapt, juist toen ik hier binnen was en het touwtje doorbeet

waar het spek aan vastzat. Wat gemeen uitgedacht van de mensen, hè? Maar, jongen, klim nu boven op die val. Er moet nog een stukje touw aan de deur vastzitten. Trek daaraan zo hard als je kunt.'

Snort klom haastig boven op de val. Hij vond het eindje touw en begon te trekken uit alle macht, maar het was erg zwaar. 'Volhouden,' piepte vader, 'volhouden!' Snort hield vol en langzaam ging het deurtje naar boven, totdat eindelijk... hè, hè, daar kroop vader Piepenga tevoorschijn. Haastig liepen ze naar de kast en verdwenen zo gauw mogelijk in een gaatje. 'O, o, wat ben ik ongerust geweest,' snikte moeder toen ze allebei hijgend binnenkwamen. 'Nou,' zei vader, ''t is goed afgelopen, gelukkig. En 't mooiste is nog: het spek heb ik meegebracht.' Toen aten ze met hun veertienen het spek op en gingen gelukkig en tevreden slapen.

Maar sinds die tijd is vader Piepenga veel voorzichtiger als hij op tournee gaat.

Vreemde juffrouw Bok

MET TEKENINGEN VAN PHILIP HOPMAN

De burgemeester zat in zijn werkkamer op een gebeeldhouwde gotische stoel. Hij drukte op een belletje en zei tegen de bediende die binnenkwam: 'Vertel eens, hoeveel mensen zitten er nog in de wachtkamer die mij willen spreken?'

'Eentje, burgemeester,' zei de bediende. 'Een oude dame. Of dame...' voegde hij er weifelend aan toe.

'Hoezo, "of dame..." ' vroeg de burgemeester.

'Ze is niet zo heel erg dame,' zei de bediende.

'Laat haar binnen.'

De dame die niet zo heel erg dame was, kwam binnen. Ze zag er bijzonder slordig uit. Ze zag eruit of ze vier weken in een droge sloot had geslapen. Haar grijze haar zag eruit of er zojuist een duif in had gebroed. Achter haar stoffige brillenglazen keken scherpe ogen de burgemeester aan.

'Ik ben juffrouw Bok,' zei ze. 'En ik moet mijn huisje uit.'

'Kom kom,' zei de burgemeester vriendelijk. 'Dat geloof ik niet. In deze stad wordt nooit iemand uit z'n huis gezet.'

'O nee?' zei juffrouw Bok.

'Nee,' zei de burgemeester.

'Ik woon in de Stoofstraat,' zei het oude mens.

'O juist, dan is het een zeer speciaal geval,' zei de burgemeester. 'We moeten die hele straat afbreken, omdat er een machtig hotel komt te staan. Tja, daar is niets aan te doen. Dat is gewoon gemeentepolitiek.'

155

'En waar moet ik dan wonen?' vroeg juffrouw Bok.

'U krijgt een andere woning toegewezen,' zei de burgemeester. 'In een keurige buurt. In een modern flatgebouw.'

'Daar wil ik niet in,' zei de juffrouw beslist. 'Ik woon al veertig jaar in de Stoofstraat en ik wil niet in een moderne flat. Daar voel ik me niet thuis.'

'Tja,' zei de burgemeester. Hij voelde zich ineens erg moe. Hij had die ochtend dertien mensen te woord gestaan die allemaal iets van hem wilden. Allemaal onmogelijke dingen wilden ze. Hij keek tersluiks op de klok... En ik heb een afspraak met de dominee, dacht de burgemeester. Hij zit op me te wachten met het dambord. We zouden een partijtje dammen want het is donderdag. Hij zuchtte.

'Waar moet een mens als ik dan heen?' vroeg juffrouw Bok.

'Tja,' zei de burgemeester nog eens. 'Kijk, m'n waarde juffrouw Bok, het is erg onverstandig dat u niet in een moderne flat wilt wonen. Er is daar een modelkeukentje. En een vuilafvoer. En een lift. En centrale verwarming.'

'Dat heb ik allemaal niet nodig,' zei juffrouw Bok. 'Ik wil er niet in. Ik woon nog liever in een muizenhol.'

'Goed,' zei de burgemeester. 'Gaat u dan maar in een muizenhol. Goedendag.' Het bleef even stil. Juffrouw Bok kneep haar ogen halfdicht en keek de burgemeester lang en nadenkend aan. Hij kreeg het warm, hij voelde zich niet op zijn gemak.

'En waar vind ik een muizenhol?' vroeg ze.

Haar stem had een dreigende klank. Ze ziet eruit als een ouwe heks, dacht de burgemeester. 'Hoort u eens,' zei hij. 'Het was natuurlijk maar een grapje van dat muizenhol. U gaat heel gewoon in dat nieuwe flatje en dan zult u eens zien hoe...'

Maar juffrouw Bok stond op en ging naar de deur. Ze had een japon aan die bedrukt was met allemaal vleermuizen en er hing een spinnenweb achter op haar rug.

Bij de deur draaide ze zich nog een keer om en zei: 'Het lijkt me beter dat u een muizenhol zoekt. Niet voor mij, maar voor uzelf.' Toen trok ze de deur achter zich dicht en de burgemeester was alleen.

Hij veegde zijn voorhoofd af met een zakdoek en zei: 'Pfffff, wat een vak, burgemeester! Ik moet toch nog eens kijken naar dat malle mens.' Hij ging voor het raam staan en zag hoe juffrouw Bok de voordeur uit kwam. Hij keek op haar neer en zag dat er werkelijk een duif zat te broeden in dat grijze warrige haar. Geboeid bleef de burgemeester kijken. Hij had het niet gek gevonden als zij per bezemsteel was weggevlogen, maar ze stapte in een heel oud autootje en reed veel te hard en met een loeiende claxon weg.

'Foei,' zei de burgemeester. 'Vreemd schepsel. En nu... naar de dominee.' Hij keerde zich van het venster af en wilde terug naar zijn stoel. Maar de korte weg van het raam naar zijn stoel was zo vreselijk lang geworden. En de stoel zelf was reusachtig groot geworden. En hij kon zich niet staande houden op zijn benen. Hij viel voorover en moest op handen en voeten verder. Handen? Het waren geen handen, het waren klauwtjes. De arme burgemeester keek radeloos in het rond en zijn oog viel op de grote spiegel waarin hij de hele kamer zag. Hij zag zichzelf ook. Een muis. Hij was in een muis veranderd.

'Het was dus toch een heks,' zei hij. 'Wat moet ik beginnen. Ik moet vanavond een redevoering houden. Hoe moet ik dat doen als muis?' Hij schraapte zijn keel en probeerde hoe het klonk: 'Stadgenoten...' riep hij. Maar alles wat er uit hem kwam was een eng gepiep.

Hij wilde het nog eens proberen, maar de deur ging open en zijn vrouw kwam binnen. 'Herman,' riep ze. 'Waar ben je, Herman?'

'Hier,' piepte Herman en liep op haar toe.

De burgemeestersvrouw keek naar beneden. 'Wrrr... grrr... Jeh... Hélp!' riep ze. In een oogwenk stond ze boven op de gebeeldhouwde gotische stoel. 'Een muis!'

'Lieveling, luister nou eens,' zei de burgemeester en hij probeerde in de stoelpoot te klimmen, maar het enige resultaat was dat zijn vrouw harder en harder schreeuwde. De deur ging open en er kwamen mensen binnen. De bediende, de werkster en allebei zijn kinderen.

'Een muis!' gilde mevrouw.

De kinderen lieten zich op de vloer vallen en grepen joelend naar de muis die onder de antieke kast vluchtte met een klein kloppend hartje. 'Ik ben jullie vader,' riep hij. 'Geloof me toch, ik ben heus jullie vader.'

'Haal de val,' zei mevrouw. 'Haal onmiddellijk de muizenval van zolder. We kunnen hem zo niet pakken, maar we doen een stuk kaas in de val, dan hebben we hem morgen.'

De hele nacht zat de arme burgemeester onder de kast. Hij zag midden in de kamer de muizenval staan en dacht lang en diep na. Misschien is het beter, dacht hij, dat ik de val in ga. Uit vrije wil. Ze zullen de val oppakken, ze zullen mij in de ogen kijken en dan... ook al kan ik niet spreken, dan zullen ze me wellicht herkennen. Aan mijn ogen. Aan mijn gebaren.

Met open ogen liep de burgemeester in de val. Hij hoorde het deurtje achter zich dichtklappen. Na enige weifeling at hij de kaas helemaal op en wachtte.

Om acht uur 's morgens kwam zijn dochtertje Tine kijken. 'Hij zit erin!' riep ze. 'Hij zit in de val. Och, wat een schatje. Zijn keeltje klopt van angst.' Dat gaat al goed, dacht de burgemeester. Ze vindt me een schatje. 'Ik ben je vader, Tineke,' riep hij.

'Het stakkerdje piept,' zei Tineke. 'Wat moeten we met hem doen?'

'Bah, wat een vies beest,' riep haar moeder die op twee meter afstand bleef staan. 'We moeten hem natuurlijk verdrinken.'

De burgemeester werd ijskoud van schrik. 'Wou je mij verdrinken, vrouw?' riep hij.

'Hij piept weerzinwekkend,' zei de moeder. 'Wie durft dat beest te verdrinken in de gracht?'

Gelukkig was er niemand in huis die het durfde. Iedereen vond het griezelig, ook Jan, de zoon.

'Daar komt net de postbode,' zei mevrouw. 'Postbode, luistert u eens, wij hebben een muis gevangen. In die val. En we vinden het eng om hem te verdrinken. Zou u het even voor ons willen doen?'

Dan krijgt u een van burgemeesters lekkere sigaren.' Welja, vooruit maar, dacht de burgemeester bitter. Geef mijn sigaren maar weg om mij te verzuipen!

'Ik rook niet,' zei de postbode, 'maar geeft u mij die val maar mee.'

'Hartelijk dank,' zei de burgemeestersvrouw opgelucht en daar ging haar arme man, met muizenval en al in de tas van de posterijen.

'Verdrinken?' zei de postbode hardop onderweg, 'nee, ik verdrink geen dieren.'

'Brave kerel,' juichte de burgemeester.

'Onze poes thuis zou een fijn hapje aan je hebben,' ging de postbode door.

'Alsjeblieft...' smeekte de burgemeester.

'...maar ik weet iets veel leukers,' zei de postbode. 'Ik stop je door de brievenbus bij de dominee. Omdat de dominee altijd beweert dat ik zijn brieven te laat bezorg. We zijn er al, hier is de deur van de dominee.'

Op de stoep deed hij de val open en pakte de muis voorzichtig beet. 'Denk erom als je me bijt,' zei hij.

'Ik bijt nooit postbodes,' zei de burgemeester. En daar ging hij, door de brievenbus. Omdat het enkel een spleet was in de deur, viel de burgemeester in de gang. Hij rende zo hard mogelijk de hele gang door om een gaatje te vinden waar hij zich kon verstoppen. Er was nergens een gat en hij vluchtte een kamer binnen. Het was de studeerkamer, waar de dominee heel alleen zat te dammen.

Hij wacht nog steeds op mij, dacht de burgemeester. Zal ik hard piepen? Och nee, natuurlijk herkent ook hij me niet. Maar wat een heerlijke boekenkast, ik ga tussen de boeken zitten. Hij vond een aardig holletje tussen de bijbel en *Kook eens iets Anders*. En omdat hij verschrikkelijke honger had, begon hij aan het kookboek te knagen. Hij at een hele bladzijde op met een recept voor boontjes met champignons. Het smaakte niet naar champignons en hij begon aan het Oude Testament. Toen hij Genesis haast ophad en een hapje Job toe wou nemen, ontdekte de dominee hem. Hij gilde niet, daarvoor was hij een te kalm mens, maar hij haalde zijn grote rode kat in de studeerkamer en wachtte toen af met gevouwen handen.

'Dat is een misselijke streek van je, kerel,' zei de burgemeester. 'En dat terwijl we altijd samen dammen!'

Maar de dominee verstond hem niet en de grote rode kat sloeg met zijn voorpootje tussen de boeken terwijl de muis radeloos zocht naar een opening. Was er maar een gaatje in het behang, o, was er maar een gaatje... dacht hij. En juist toen de kat zijn geduld verloor en zich met zijn hele lichaam achter de boeken wrong, toen zag de burgemeester een heel klein gaatje waar hij zich doorheen wurmde. Hij tuimelde aan de andere kant naar beneden en kwam terecht in een holte achter de muur waar twee felle oogjes hem aankeken.

'Wat moet dat?' vroeg de grijze vrouwtjesmuis tegenover hem.

'Pardon,' zei de burgemeester, dankbaar dat hij iemand vond waar hij mee kon praten. 'U bent mevrouw Muis, neem ik aan?'

'Weduwe Muis,' zei ze.

'Ik werd achternagezeten door de kater van de dominee,' zei de burgemeester.

De weduwe Muis werd dadelijk vriendelijker en keek hem vol begrip aan. 'De rooie,' zuchtte ze. 'Hij is het die mijn man het vorig jaar...' Ze stokte.

'Ik begrijp het...' zei de burgemeester medelijdend. 'Mijn sympathie gaat volledig naar u uit. Woont u hier?'

'Ik woon in het huis hiernaast,' zei de muis. 'Ik heb een schattig woninkje. Komt u maar mee, dan zal ik het laten zien.'

De burgemeester volgde haar door een nauw en donker gangetje en ondertussen bleef de weduwe Muis babbelen.

'U bent knap om te zien,' zei ze. 'Mooie snorren, ferme staart.'

'Dank u wel,' zei de burgemeester.

'Heeft niemand u ooit gezegd dat u een prachtige staart hebt?' vroeg ze.

'Eh... nee, dat heeft nog niemand gezegd.'

'Nou het ís zo,' zei ze. 'Nu klimmen we even langs deze plank naar boven en dan zijn we in mijn huisje. Hier is het.'

De burgemeester keek om zich heen. Het was een tamelijk groot hol. Er lagen pluisjes en lapjes en er viel vanboven wat licht in.

'We zitten hier vlak onder de vloer van een keurige heer,' zei de weduwe. 'Hij eet heerlijk, elke dag brood met ham en kaas. En de vloer zit vol prachtige kieren, zodat de kruimels regelrecht op mijn hoofd vallen. Het enig nare is dat ik me soms wat alleen voel. Maar misschien zou u er wat voor voelen om met mij te trouwen?'

'Hm...' zei de burgemeester en werd heel verlegen. De weduwe gie-

chelde en keek hem schalks aan, maar toen hief ze haar pootje op en zei: 'Ssst... ik geloof dat hij thuiskomt. De heer die hierboven woont.'

Er waren inderdaad zware voetstappen te horen en de planken bogen en kraakten. 'Zo nu en dan,' zei de weduwe Muis, 'zo nu en dan doet mijn keurige heer het luikje in deze vloer open. Dan zie ik zijn hand. In 't begin schrok ik daarvan. Maar nu niet meer. Nu weet ik wat hij doet.'

'Wat doet hij dan?' vroeg de burgemeester.

'Hij stopt allerlei gouden dingen onder de vloer,' zei de muis. 'Kettinkjes en ringen. Kijk, hier ligt het allemaal, waardeloos spul, je kunt het niet eten, je kunt het niet ruiken, daar ligt de hele troep.' En ze wees met een roze pootje.

'Wel alle deksels,' zei de burgemeester. Want vlak bij hem, op een achteloos hoopje onder het luik, lagen allerlei kostbare voorwerpen, sieraden, ringen, zelfs diamanten broches.

'Wel mooi,' zei de weduwe, 'maar volstrekt nutteloos. O luister, mijn heer heeft bezoek. Als u hier gaat staan, hoort u elk woord dat ze zeggen.'

De burgemeester ging op de plek staan die ze aanwees en luisterde. Hij hoorde duidelijk wat de keurige heer zei.

'Vannacht om een uur dus,' zei de stem, 'dan slaapt ze allang. Ze heeft al haar juwelen in een kous onder haar matras.'

'En als ze wakker wordt?' vroeg de andere stem.

'Als ze wakker wordt is het met haar gedaan. Ze mag volstrekt geen geluid maken want je weet dat vlak daarnaast de notaris woont die een hond heeft en een telefoon. Maar goed, we gaan dus door de balkondeuren naar binnen, is dat duidelijk? En neem nou maar een biertje en een stuk worst.'

'Hebt u dat gehoord?' fluisterde de burgemeester met trillende stem.

'Jazeker,' zei de weduwe opgewekt. 'Worst gaan ze eten! Zo meteen regenen de velletjes door de kier.'

'Nee,' zei de burgemeester, 'ik bedoel de diefstal die ze van plan zijn. Diefstal en waarschijnlijk zelfs moord. Wacht eens even, naast de notaris... dat moet mevrouw De Bruin zijn. Die is heel rijk en woont alleen, ik ken haar goed. Wat schandelijk! Daar moet een stokje voor gestoken worden, dat mag niet gebeuren, ik zal het beletten...'

'Wat ga je nou toch doen...' riep de weduwe Muis verschrikt. 'Je wilt toch niet naar ze toe?'

'Jazeker,' zei de burgemeester grimmig en hij begon zich door de kier heen te werken om in de mensenkamer te komen.

'Doe dat niet, het is dodelijk gevaarlijk, pas toch op...' smeekte de weduwe en ze probeerde hem aan zijn staart tegen te houden.

'Laat me los,' grauwde de burgemeester, gaf een ruk aan zijn staart en wrong zich door de kier. Daar stond hij vlak naast de stoel van de dief. In zijn verontwaardiging vergat hij helemaal dat hij maar een kleine nietige muis was. Hij ging op zijn achterpootjes staan en riep: 'Als hoofd van de politie beveel ik u mij te volgen. U bent gearresteerd!'

'Jemig, een muis...' zei de ene boef verwonderd.

'En piepen dat ie doet...' zei de ander. 'Wacht 's.' Hij stond op, nam z'n stoel met twee handen beet en sloeg ermee naar de burgemeester die nog steeds niet vluchtte. 'Waag het eens me aan te raken!' piepte hij schril, maar de tweede slag was raak en de arme muis lag doodstil.

'Oeps,' zei de man, greep de dode muis bij de staart en gooide hem met een zwaai het raam uit. Daar lag de burgemeester in de goot. Maar dood was hij niet, enkel bewusteloos. Een smal stroompje spoelde langs hem heen en door de koelte van het gootwater kwam hij weer bij.

'Ik wil graag thee op bed...' murmelde de burgemeester. 'Twee toastjes met suiker en een uitgeperst sinaasappeltje. Hé, m'n laken is nat. Hoe komt m'n laken zo nat of is het m'n pyjama? En wat voel ik daar voor sliert achter aan m'n rug... het lijkt wel een staart... o, dat is waar ook. Ik ben een muis.' Hij stond op en keek om zich heen. Aan de ene kant liepen mensen, aan de andere kant reden auto's.

'Mensen, ik ben jullie burgemeester,' riep hij. Maar door het geraas van de auto's hoorde niemand het piepen van een klein muisje. De enige die hem hoorde was een grote bruine hond die nieuwsgierig snuffelend en kwispelstaartend kwam aanlopen. 'Wrrroef,' zei hij toen hij de muis zag.

'Ook dat nog,' jammerde de burgemeester en rende door de goot.

'Wref,' zei de hond en kwam met dartele sprongen op de muis af die in zijn angst schichtig zocht naar een gat om in te verdwijnen. Hij vond een kelderrooster waar hij bliksemsnel door kroop. Hijgend en trillend bleef hij zitten in het donkere keldertje, terwijl de hond nog even blafte en toen onverschillig doorliep.

'Ik wist niet dat een muizenleven zo onbeschrijflijk akelig was,' zei de burgemeester. 'Akelig en nóg zenuwslopender dan het leven van een burgemeester. En nu ruik ik gebakken spek. Het komt van boven. En ik heb zo'n geweldige honger; ik ga doodgewoon de keldertrap op en het kan me niet schelen waar ik terechtkom.'

Hij liep de trap op en volgde de geur van het spek. Hij kwam terecht in een keukentje waar het verrukkelijk rook en waar zo'n onbeschrijflijke wanorde was dat hij zich erg makkelijk kon verschuilen achter een mand met wortelen.

Hier wil ik voorlopig blijven, dacht de burgemeester. Leve de rommel. Wij muizen zijn het gelukkigst daar waar veel rommel is. Wat een heerlijke keuken. Maar ik zie wel twee voeten heen en weer lopen. Damesvoeten met ruiten pantoffels. Hij hoorde een kast opengaan en gerinkel van aardewerk. Toen werd er vlak bij zijn neus een schoteltje neergezet met een paar stukjes spek.

Goeie help, zou dat voor mij bedoeld zijn? dacht de burgemeester. Of is er misschien een kat in de buurt. Maar ik ruik geen kat.

De geur van het warme spek was nu zo dichtbij en zo verleidelijk. De voeten waren er nog, maar ze stonden met de hielen naar hem toe. Ze staat voor het raam, dacht de muis. Ik waag het erop. En hij schrokte gulzig het eerste stuk naar binnen. Onmiddellijk daarna begon de keuken te draaien, hij voelde zich zo vreselijk duizelig dat

hij zijn ogen sloot en toen hij ze weer opendeed zag hij dat hij met twee handen op de gootsteen leunde. Handen, jazeker. Twee heuse fijne echte handen.

'Wat aardig, burgemeester, dat u mij eens op komt zoeken,' zei de dame van de voeten.

De burgemeester keek naar haar en daar stond ze. Het was juffrouw Bok.

'Is het geen aardige woning?' vroeg ze. 'En is het niet een lief straatje waar ik woon? Kijkt u maar even uit het raam. De Stoofstraat.'

Hij keek uit het raam. Het was een erg lief straatje.

'Ik eh... ik was een muis...' zei hij.

'Een muis? Hoezo een muis?' vroeg juffrouw Bok verbaasd. 'U bent de burgemeester en u komt eens kijken naar mijn huisje. 't Zou toch zonde zijn om het te laten afbreken niet waar?'

Ze keek hem met haar felle ogen aan en de burgemeester voelde zo'n grote blijdschap dat hij begon te lachen.

'Natuurlijk, juffrouw Bok,' zei hij. 'Ik piek er niet over om deze buurt te laten afbreken. Blijft u hier maar rustig wonen.'

'Dat is dan ook weer in orde,' zei ze vrolijk. 'En zal ik nu een lekker kopje koffie zetten?'

'Dolgraag,' zei de burgemeester, 'ik snak naar een... Wacht even!'

'Wat is er?' vroeg juffrouw Bok.

'Ik heb geen tijd,' riep hij. 'Ik moet onmiddellijk weg, ik moet dadelijk...'

'Ik begrijp het,' zei juffrouw Bok. 'Ik breng u even met mijn autootje naar... waar wilt u heen?'

'Naar het politiebureau,' zei de burgemeester. 'Er is haast bij.'

Een uur later zaten de twee boeven achter slot en grendel en de burgemeester rookte een sigaar in zijn gebeeldhouwde gotische stoel.

Zijn vrouw begon voor de vierde maal te klagen: 'Twee dagen weg geweest, en je wilt me niet eens vertellen wáár je geweest bent! Wat moet ik daar nu van denken? Wáár ben je geweest?'

'Eerst bij de dominee,' zei haar man.

'Dat is niet waar,' riep ze. 'Hij heeft op je zitten wachten met z'n dambord, maar je kwam niet!'

'En toen bij een weduwe,' zei de burgemeester.

'Bij een weduwe? Bij welke weduwe?'

'Ze vond dat ik zo'n mooie staart had,' wilde de burgemeester zeggen, maar hij slikte de woorden nog net op tijd in en ging door: 'Verder was ik in de goot. Dat is natuurlijk een grapje.'

'Ik vind het niet een leuk grapje,' zei mevrouw.

'Laten we dan nu gaan eten,' zei de burgemeester. 'Ik wou het liefst gebakken spek.'

Het hemelse trompetje

MET TEKENINGEN VAN MARENNE WELTEN

Op een keer, nog niet zo lang geleden, zaten er zes engeltjes in de kelder van de hemel te spelen op hun instrumentjes. Misschien vraag je je wel eens af of er een kelder in de hemel is? Maar natuurlijk is er een kelder in de hemel. Daar wordt de wijn bewaard en de appelen liggen er in rekken te geuren in de herfst.

Die zes engeltjes waren in de kelder gaan zitten, omdat hun muziek daar bijzonder mooi klonk tussen de booggewelven. Eentje speelde viool en eentje speelde bas bas bas. Er was een klarinet, er was een pietepeuterig paukje en het kleinste engeltje, het kleinste en liefste engeltje speelde op een koperen trompetje.

Dat trompetje klonk boven alles uit, het had een allerprachtigste toon, schril en toch zoet en wollig en mollig, het jubelde als een leeuwerik met een versterker, het was niet te geloven.

Terwijl de engeltjes aan het spelen waren, kwam de oude tuinman-engel voorbij en bleef staan luisteren voor de tralies van het kelderraam. Hij stond daar tot het stuk uit was. Toen klapte hij in zijn handen en riep: 'Bravo!'

Och, dat had hij niet moeten doen. Het kleinste (en liefste) engeltje schrok zo van die onverwachte stem dat hij zijn koperen trompetje liet vallen. Het rolde over de keldervloer, het rolde en rolde...

'Mijn trompetje,' riep het engeltje en greep ernaar, maar het was te laat. Voordat iemand het kon pakken, verdween het trompetje tussen de spijlen van het rooster in de vloer.

Onder de keldervloer waren de wolken. Het trompetje viel en viel en viel door al de wolken heen. Het kwam terecht op de aarde. Het kwam terecht in een stadspark, waar een paar jongetjes bezig waren met bootje varen op de vijver. Ze lieten hun scheepjes varen terwijl ze intussen luisterden naar een heel kleine radio die in het gras stond. Een van de jongens zag het trompetje vallen. Even dacht hij dat het de neus van een maanraket was, want dat denken jongens als ze iets uit de lucht zien vallen. Maar toen het met een plof voor zijn voeten viel, raapte hij het op. 'Wat een leuk trompetje,' zei de jongen. En hij blies erop. Zodra hij erop blies, kwam er een hoge toon uit, schril en toch zoet en wollig en mollig en onbeschrijflijk heerlijk.

Voor de jongen er erg in had, speelde hij een heel liedje en zo blij was hij met de trompet, dat hij bleef spelen, heel lang. De andere kinderen kwamen om hem heen staan om te luisteren. De een na de ander ging thuis een fluit halen of een mondharmonica of een trommel. Voor de ochtend om was, hadden de kinderen een fijn orkest daar aan de vijver en ze speelden zo geestdriftig dat alle voorbijgangers een poosje bleven staan en in de handen klapten.

Maar het engeltje, dat kleinste en liefste engeltje, dat ineens zijn trompet had zien verdwijnen door het kelderrooster... wat deed hij? Hij was wanhopig en hij fladderde en fladderde en liet zich niet troosten, nee o nee, hij wilde niet getroost worden, door niemand. Met zijn kleine vlerkjes fladderde hij rond door de groene tuinen van de hemel, net zolang tot hij een gat vond in de hemelheg. Daar kroop hij door en hij vloog weg, de ruimte in, naar de aarde. Het was een lange tocht en hij voelde zich verlaten tussen de grote grauwe wolken die daar langs hem zeilden. Het stormde en hij deed zijn oogjes toe en liet zich vallen vallen vallen met dichtgeklapte wiekjes, omdat de wind hem pijn deed.

Toen hij zijn ogen opendeed, zag hij onder zich de aarde. Hij zag de witte sneeuwbergen, de bruisende groene rivieren en de bruine akkers. Hij zag de huizen, de treinen en vlak naast zich zag hij ineens een groot passagiersvliegtuig waar hij ontzettend van schrok. (De mensen in het vliegtuig zagen hem ook en schrokken nog harder.) Het was voor het engeltje allemaal een tikje te veel en hij sloeg gauw zijn vleugels uit om niet al te hard neer te komen. Juist op tijd sloeg hij zijn vleugels uit; zacht en vederlicht kwam hij neer. Daar zat hij, wreef zich in de ogen en liet zich rijden. Zeker, hij liet zich rijden. Want hij was terechtgekomen op een versierde wagen van een bloemencorso. Boven op een zwaan van witte anjers was hij terechtgekomen. Dat was wel een gelukkig toeval. Het was zacht en bovendien vond niemand het gek. Alle mensen aan de kant van de straat keken naar hem en vonden het heel gewoon dat er een engeltje tussen de bloemen meereed in de stoet. 'Aaaahh...' riepen de mensen vol bewondering, 'wat een lief engeltje, het lijkt verdorie wel een echt engeltje... van wie zou dat een kindje zijn...? Wat hebben ze dat kindje leuk verkleed als engeltje... kijk toch eens... aaaaaah.'

Het was een mooie optocht. Voor hem reed Doornroosje en achter hem een draak van dahlia's. Maar langs de weg was het een gedrang en een tumult en het engeltje dacht een beetje benauwd: hoe vind ik ooit mijn trompetje tussen al die mensen?

Toen de stoet aan het eind van de

route was gekomen, had de witte zwaan de eerste prijs gewonnen. Dat kwam door het engeltje en het gejuich van de mensen was overweldigend. Iedereen kwam rond de wagen staan en het engeltje werd nu echt bang. Ik wil niet, ik wil niet, dacht hij en hij sloeg zijn vleugels uit en vloog weg van de wagen, regelrecht in een open raam van een huis aan de straat.

In het huis woonde een oude vrouw die niet meer zo goed kon zien. Ze zag iets door de kamer fladderen, ze hoorde het ge- luid van vleugels en ze werd boos.

'Mies,' riep ze naar de keu- ken. 'Mies, er is weer een meeuw in de kamer.'

Mies kwam uit de keuken aanhollen en vroeg: 'Waar dan?'

Het engeltje verstopte zich haastig achter de televisie. Het hield zich muisstil.

'Het was een meeuw,' zei de oude dame snibbig.

'Waar is-ie nou... O kijk, daar gaat ie.' Het engeltje vloog door het achterraam weer naar buiten in grote angst en de huishoudster liep achter hem aan met de zwabber. Maar hij verstopte zich opnieuw, nu tussen de rododendronstruiken en bleef daar zitten tot het begon te schemeren. Toen, in de schemering, fladderde hij voorzichtig van de ene tuin in de andere, boven de jasmijn, tussen de geurende rozenhagen, tot hij in het stille park terechtkwam. Er stond daar een groot modern beeldhouw- werk. Het engeltje kon niet zo goed zien wat het voorstelde, maar ergens in het beeld was een holte waar hij net in paste. Doodmoe

en onbeschrijflijk treurig vouwde hij zijn vleugeltjes dicht en sliep. Vroeg in de morgen werd hij wakker doordat een paar voorbijgangers stilstonden en over hem begonnen te praten.

'Wel een mooi beeld,' zei de een.

'Ja, maar dat engeltje is smakeloos,' zei de ander.

Toen liepen de stemmen door en het engeltje gluurde vanuit zijn hoekje. Hij was een tikje beledigd, omdat ze hem een smakeloos engeltje hadden genoemd, maar lang bleef hij niet wrevelig, want de zon scheen en de perken bloeiden blauw en roze en duizend bijen zoemden tegelijk.

Het was een prachtige ochtend. Hij hoorde een vogel zingen. Hij zag het sprankelend water van een fontein, hij hoorde nog veel meer vogels zingen en daarbovenuit hoorde hij... hoorde hij... hoorde hij... een schrille toon, schril en toch zoet en wollig en mollig. 'Mijn trompetje...' fluisterde het engeltje, 'mijn eigen lieve trompetje.' Hij wachtte geen moment meer en vloog op het geluid af.

Achter een boom vond hij het jongetje dat ernstig aan het blazen was op zijn trompet. Het engeltje ging in de boom zitten en gluurde door de takken.

'Pssst...' fluisterde het engeltje.

Het jongetje keek naar boven.

'Hallo,' zei hij.

'Dat trompetje dat je daar hebt,' zei het engeltje, 'dat is mijn trompetje.'

'Is het heus?' vroeg de jongen teleurgesteld. Het verbaasde hem wel een beetje, een engeltje te zien daar vlak boven hem, een echt engeltje met vleugels van veren, maar aan de andere kant was dit jongetje gewend zich te verbazen. De hele dag deed hij niets anders dan zich verbazen over alles wat hij zag en hoorde en rook en aanraakte en daarom kwam deze verbazing niet erger aan dan andere verbazingen.

'Zo,' zei hij, 'is dat jouw trompetje. Ik dacht het wel... vandaag of morgen komt de eigenaar het wel terughalen, dat dacht ik allang.' En bij deze woorden keek het jongetje zo treurig en zo wanhopig

dat het engeltje medelijden kreeg.

'Ik heb het nodig, zie je,' zei het engeltje aarzelend. Maar toen hij nog eens keek naar de teleurgestelde ogen van de jongen, voegde hij er haastig bij: 'Als je het erg graag wil houden dan mag je het wel hebben.'

'O alsjeblieft,' zei de jongen. 'O alsjeblieft. Straks komen de andere kinderen om met mij samen te spelen. Dus ik heb het ook nodig. Weet je wat, als ik jouw trompetje mag houden, dan krijg jij van mij... dan krijg jij van mij...' De jongen keek om zich heen om gauw te verzinnen wat hij in ruil zou kunnen aanbieden. 'Mijn bootje,' besloot hij.

Het engeltje schudde zijn hoofd. 'Ik heb al een bootje,' zei hij.

De jongen voelde in zijn zakken en beet op zijn nagels. Toen verhelderde zijn gezicht en hij riep: 'Ik weet het al. Jij krijgt mijn radiootje in plaats van het trompetje. Heb je toch muziek.' En hij pakte het kleine transistorradiootje dat daar naast hem stond in het gras en gaf het aan het engeltje.

'Dank je wel,' zei het engeltje. Hij had nog nooit een radiootje gehad en vond het enig om er een te hebben.

'Je moet aan deze knop draaien,' zei de jongen.

'Dank je wel,' zei het engeltje nog eens, greep het hengseltje van het radiootje, sloeg zijn vleugeltjes uit en vloog loodrecht omhoog naar de hemel.

De jongen keek hem lang na en zag eindelijk het engeltje verdwijnen in de blauwe lucht. Hij blies op zijn trompet tot afscheid en dadelijk kwamen de kinderen uit de buurt aanrennen met hun muziekinstrumenten. Ze wilden weer muziek maken. 'Waarom kijk je zo naar boven?' vroegen ze. 'Wat zie je daar?'

'O niets,' zei de jongen. 'Laten we maar beginnen.' En ze speelden de hele ochtend in het park.

Het engeltje kroop door hetzelfde gat in de hemelheg terug, met zijn radiootje en daar zat het, midden op het gazon, een beetje moe en met vlerkjes die wat rafelig waren van de wind en de avonturen.

Al heel gauw zat er een grote groep engelen om hem heen. 'Waar ben jij geweest?' vroegen ze. 'Waar heb je zo lang gezeten? En wat heb je daar meegebracht?'

Het engeltje zei niets maar draaide aan een knopje. Er kwam een hele stroom muziek uit het radiootje en de engelen bleven verbaasd luisteren. Ze legden algauw hun eigen instrumenten neer: alle harpen en bazuinen werden aan de kant gezet en een paar oudere engelen zeiden tevreden: 'Wel wel, dat is makkelijk en dat is praktisch. We hoeven zelf niet meer te spelen, het wordt voor ons gedaan, kom, laten we gaan breien bij de radio.'

Maar niet ver van het groene hemelgazon was de Grote Studeerkamer waar vader God zat te lezen. Hij was zo verdiept in zijn boek dat hij niet met-een en onmiddellijk hoorde dat er iets bijzonders aan de hand was. Maar plotseling legde hij het boek neer en luisterde scherp. Hij stond op en keek door het raam. Daarbuiten zag hij een gro-te groep engelen. Sommige zaten, sommige lagen op het gazon. In hun midden stond een klein doosje dat muziek afgaf.

Er kwam een grote frons op het voorhoofd van vader God. Door de openslaande deuren van de studeerkamer schreed hij naar buiten. Het begon te waaien in de tuin en er kwam een geluid van een machtig en boos onweer met ratelende donderslagen. De goudenregen zwiepte hef-tig heen en weer, het werd donker en de engelen schrokken en hielden angstig hun handen voor de ogen. Behalve het kleinste engeltje, dat sprakeloos toekeek en zag hoe vader God het radiootje nam en het weg-slingerde over de hoge hemelheg heen, ver weg, ver weg, heel ver weg... Het geluid van de radio was ineens verstomd.

Dat was dat. Er was geen woord gevallen. Al heel gauw ging alles zijn gewone gang. De lucht was blauw en de goudenregen zwiepte niet meer. Iedere engel had zijn harp of zijn bazuin weer genomen en het gazon was rustig.

Alleen het kleine engeltje liep te dwalen door alle hemeltuinen en was bedroefd. Zijn trompetje had hij niet terug en nu was ook zijn nieuwste speelgoed, het radiootje, weg. Hij ging zitten bij het hemels kippenhok en schreide. Het was de oude tuinman die hem daar vond zitten en tegen hem zei: 'Wat scheelt eraan?'

'Nu heb ik niets meer,' zei het engeltje.

'Er zijn nog trompetjes genoeg in de hemel,' zei de tuinman. 'Wil je dat ik er een voor je haal uit de voorraad?'

'Nee,' zei het engeltje. 'Geen een ander trompetje heeft zo'n toon als het mijne. En ik ben het voorgoed kwijt want het jongetje op aarde heeft het net zo nodig als ik.'

'Ik betwijfel het,' zei de tuinman-engel. 'Ik wil wel eens een keer voor je gaan kijken of het werkelijk zo is.'

Het engeltje antwoordde niet. Het bleef zitten schreien. Het schreide elke dag een uur. Wekenlang.

Vier ochtenden speelde het jongetje met de andere kinderen in het park. Aan het eind van de vierde ochtend kwam er een heer langs, die zei: 'Jongen, je hebt talent. Wil je wat verdienen met trompet spelen? Wil je beroemd worden als trompetspeler? Ga dan met me mee.'

De andere kinderen keken teleurgesteld en zagen verbaasd toe hoe hun kameraadje zijn trompet nam en meeging met de heer.

Diezelfde avond speelde de jongen voor een zaal met mensen, begeleid door een heel orkest. Hij voelde zich trots en hij was heel blij met al het geld dat hij verdiende. De mensen in de zaal klapten luid en lang, er kwamen stukken in de krant over het wonderkind met de trompet. En zijn portret stond in alle bladen. De jongen ging mee op tournee. Dat betekende dat hij elke avond in een andere stad moest optreden. Hij moest optreden voor de radio en voor de televisie. Grote aanplakbiljetten kwamen aan de concertzalen te hangen overal waar

hij optrad. Hij had een enorm succes, maar hij moest wel véél. Hij moest veel reizen, hij moest erg lang spelen, hij moest heel veel handjes geven, hij moest veel handtekeningen zetten, hij moest te véél. Hij verveelde zich omdat hij te veel moest, en te weinig mocht. Hij gaapte in de pauze en hij had zelfs lust om te gapen terwijl hij speelde op zijn trompet. En dat kon nooit goed zijn. Het was ook niet goed. Hij speelde ook niet zo prachtig meer. Het leek wel of het trompetje zich ook verveelde. Het leek soms of het gaapte. Het klonk niet meer zo schril en ook niet meer zo zoet.

Op een avond had de jongen gespeeld in de televisie-studio, ver van zijn eigen huis. Hij was moe en hij was kribbig en hij was boos. 'Ik wou dat ik je nooit had gezien,' zei hij tegen het trompetje. 'Ik heb genoeg van je en je klinkt niet eens meer mooi.'

'Wil je hem kwijt? Geef hem dan maar aan mij,' zei de cameraman die vlak bij hem bezig was met een paar dikke kabels. De jongen keek een beetje wantrouwig naar de cameraman. Het was een oude man. Dat was al heel vreemd, want cameramannen zijn altijd jong. En deze was zo oud en zo krom. Hij had werkelijk een bochel.

'Mijn trompet weggeven?' vroeg de jongen. 'Hoe kan dat nou. Ik ben toch op tournee.'

'Hoe zou je het vinden om weer bij je vriendjes te spelen in het park?' zei de cameraman. 'Bij de vijver waar je gewend was te spelen. In je eigen stad. Hè?'

De jongen keek op en zei: 'Hoe weet u dat? Hoe weet u waar ik speelde? Precies zo was het.'

De cameraman zweeg en ging door met zijn werk. Het jongetje voelde zich plotseling zo moe en slaperig dat hij zijn trompetje naast zich legde en in slaap viel. Toen hij wakker werd, dacht hij: ik moet heel lang geslapen hebben. De nacht is om, het wordt al licht. Ik ben in de televisiestudio, ver van huis. Maar wacht eens, dat is niet waar, ik ben niet ver van huis, ik ben in het park. Ik ben in mijn eigen park, bij mijn eigen vijver. En waar is mijn trompet? Nee maar, die ligt naast me. Is het wel mijn eigen trompetje? De jongen nam het trompetje en blies erop. Het was zijn trompetje niet meer. Het was een ander trompetje, een gewoon trompetje. De jongen lachte, hij vond het niet erg, hij vond het heerlijk. Hij zou trompet spelen met zijn vriendjes. Hij zou niet meer beroemd zijn, hij wou alleen maar een jongen zijn in een park, die speelt met zijn kameraadjes.

En al heel gauw kwamen zijn vrienden en waren verbaasd toen ze hem zagen. 'Ben je niet meer beroemd?' vroegen ze.

'Nee,' zei het jongetje. 'Ik ben niet meer beroemd.'

'Wil je dan weer met ons spelen?' vroegen ze.

'Dat wil ik wel,' zei hij. En hij speelde op zijn trompet. Het klonk niet meer zo hemels als vroeger, hoe kon het ook, het was het hemelse trompetje niet. Het klonk heel gewoon en heel aards en een beetje onbeholpen, maar het was heerlijk om te spelen en er kwam geen heer die de jongen meenam.

De cameraman had intussen het hemelse trompetje gehouden, daar in de studio. Hij knoopte zijn jas open en twee vleugels kwamen tevoorschijn. Door het raam kroop hij naar buiten en hij vloog omhoog.

Toen hij daarboven het kleine engeltje vond bij het hemels kippenhok, zei hij: 'Alsjeblieft, hier is je trompetje.'

'O,' zei het kleine engeltje met een zucht. 'Mijn trompetje, mijn lieve goeie trompetje.' En het engeltje ging naar de kelder om te

spelen, uren- en urenlang en het trompetje
had een toon, zo schril en toch zoet en
mollig en wollig, het was niet te geloven.
Telkens als het engeltje even ophield, leek
het of hij een echo hoorde, een echo van
heel ver weg van de aarde,
waar de gewone jon-
getjes wonen, die
op gewone trom-
petjes spelen
En de echo van
het gewone trom-
petje gaf antwoord.
Je vraagt wat er van het radiootje geworden is.

Het was naar beneden gevallen en het viel niet
in duizend stukken. Nee, het kwam terecht op een van de hellingen
van de berg Popocatepetl en daar staat het nu bij een bruin ezeltje
dat niet weet wat het is. Het ezeltje heeft een peinzende uitdrukking
op zijn gezicht, omdat het aldoor denkt:

Wat zou dit toch wezen?
Wat zou dit toch wezen?

Annie M.G. Schmidt

Anna Maria Geertruida Schmidt werd in 1911 in Kapelle, op Zuid-
Beveland, geboren. Eerst werkte ze in een bibliotheek – op de lees-
zaal, zoals dat toen heette. Daarna ging ze bij *Het Parool*, de Amster-
damse krant, werken.

In *Het Parool* schreef Annie stukjes voor volwassenen, en versjes
voor kinderen. Ze deed dat op een heel andere manier dan toen
gebruikelijk was. Minder deftig, minder krullerig: gewoner. Zo
werd Annie M. G. Schmidt al vlug beroemd. Met 'Dikkertje Dap'.
Met 'De spin Sebastiaan'. En met de versjes over het beertje Pippeloentje.

Samen met Fiep Westendorp ging Annie strips maken – strips voor kinderen en andere mensen. Zo is eigenlijk ook *Pluk van de Petteflet* ontstaan, en *Tante Patent*. En samen met onder anderen Harry Bannink schreef ze veel liedjes en musicals. 'Vluchten kan niet meer' heb je vast wel eens gehoord. Of 'Niet met de deuren slaan' uit *Ja zuster, nee zuster*.

De bekendste kinderboeken van Annie zijn, naast *Pluk van de Petteflet*, *Minoes* (Zilveren Griffel) en *Otje* (Gouden Griffel).

Alle 347 kinderversjes van Annie M.G. Schmidt staan in *Ziezo*, een dik boek vol prenten van twaalf verschillende tekenaars.

In 1988 heeft Annie, in Oslo en uit handen van Astrid Lindgren, de hoogste prijs gekregen die er voor kinderboeken bestaat: de Hans Christian Andersenprijs.

In 1988 kreeg ze ook de CPNB Publieksprijs voor poëzie en in 1991 de CPNB Publieksprijs voor kinder- en jeugdboeken.

Annie M.G. Schmidt stierf in 1995 in Amsterdam.

Bibliografie

Staatsprijs voor kinder- en jeugdliteratuur 1964
Constantijn Huygensprijs 1987
Hans Christian Andersenprijs 1988
C P N B Publieksprijs voor poëzie 1988
C P N B Publieksprijs voor kinder- en jeugdboeken 1991

Abeltje en De A van Abeltje (1953, 1955)
Wiplala (1957) Kinderboek van het jaar 1957
Het beertje Pippeloentje (versjes, 1958)
Het hele schaap Veronica (versjes, 1960)
Wiplala weer (1962)
Jip en Janneke (verhaaltjes, 5 delen, 1963-1965)
Tante Patent en de grote Sof (1968)
Minoes (1970) Zilveren Griffel 1971
Pluk van de Petteflet (1971) Zilveren Griffel 1972
Floddertje (1973)
Jip en Janneke (verzamelbundel, 1977)
Otje (1980) Gouden Griffel 1981
Ziezo. De 347 kinderversjes (1987)
Jorrie en Snorrie (Kinderboekenweekgeschenk 1990)
Beestenboel (versjes, 1995) Venz Kinderboekenprijs 1996
Ibbeltje (1996)
Ik wil alles wat niet mag (versjes, 2002)
Pluk redt de dieren (2004) Prijs van de Nederlandse Kinderjury 2005
Het grote Annie M.G. Schmidt voorleesboek (2005)
Jip en Janneke. Sinterklaas komt! (2005)
Prinsesje Annabel (2008)
Zing mee met Annie M.G. (2008)